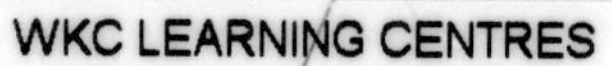

KU-534-448

Kings Cross
Learning Centre
211 Grays Inn Road
London WC1X 8RA

Né le 26 juin 1913 à Basse-Pointe, en Martinique, Aimé Césaire a fait ses études en France. Poète, dramaturge et homme politique, il a joué un rôle considérable dans la prise de conscience des acteurs politiques et culturels de la décolonisation. Fondateur, en 1939, de la revue *Tropiques*, il élabore et définit, avec Léopold Sédar Senghor, la notion de « négritude ». En 1956, après avoir rompu avec le Parti communiste français, il crée le Parti progressiste martiniquais. Député de la Martinique jusqu'en 1993, Aimé Césaire a été député-maire de Fort-de-France de 1945 à 2001. Il est mort le 17 avril 2008 à Fort-de-France.

Aimé Césaire

UNE SAISON AU CONGO

THÉÂTRE

Éditions du Seuil

TEXTE INTÉGRAL

ISBN 978-2-02-048624-8
(ISBN 2-02-001321-5, Ire publication
ISBN 2-02-000634-0, Ire publication poche)

© Éditions du Seuil, 1973

Le Code de la propriété intellectuelle interdit les copies ou reproductions destinées à une utilisation collective. Toute représentation ou reproduction intégrale ou partielle faite par quelque procédé que ce soit, sans le consentement de l'auteur ou de ses ayants cause, est illicite et constitue une contrefaçon sanctionnée par les articles L.335-2 et suivants du Code de la propriété intellectuelle.

Personnages

par ordre d'entrée en scène

LE BONIMENTEUR
LE BADAUD
DEUX FLICS BELGES
LA VOIX
UN HOMME
DEUX FEMMES
MOKUTU
LA MAMA MAKOSI
DEUX GEÔLIERS
LE DIRECTEUR
QUATRE BANQUIERS
LE CITOYEN M.N.C.
LE TRIBALISTE MUKONGO
BASILIO
GÉNÉRAL MASSENS
KALA-LUBU
LUMUMBA
M'POLO
SOLDATS
QUATRE ÉMETTEURS
LE PILOTE
TROIS SÉNATEURS
HAMMARSKJÖLD
L'AMBASSADEUR GRAND OCCIDENTAL
CROULARD
ISAAC
VOIX DE LA GUERRE CIVILE
TROIS MINISTRES
HÉLÈNE
PAULINE LUMUMBA
L'ÉVÊQUE
GHANA
OKITO
TZUMBI
ZIMBWÉ
TRAVÉLÉ
M'SIRI
LE MERCENAIRE
MATTHEW CORDELIER
LE JOUEUR DE SANZA
LA FOULE

Acte 1

Scène 1

Quartier africain de Léopoldville.
Attroupement d'indigènes autour d'un bonimenteur, sous l'œil plus ou moins inquiet de deux flics belges.

LE BONIMENTEUR

Mes enfants, les Blancs ont inventé beaucoup de choses et ils vous ont apporté ici, et du bon, et du mauvais. Sur le mauvais, je ne m'étendrai pas aujourd'hui. Mais ce qu'il y a de sûr et de certain, c'est que parmi le bon, il y a la bière ! Buvez ! Buvez donc ! D'ailleurs, n'est-ce pas la seule liberté qu'ils nous laissent ? On ne peut pas se réunir, sans que ça se termine en prison. Meeting, prison ! Écrire, prison ! Quitter le pays ? Prison ! Et le tout à l'avenant ! Mais voyez, vous-mêmes ! Depuis un quart d'heure, je vous harangue et leurs flics me laissent faire... Et je parcours le pays de Stanleyville au Katanga, et leurs flics me laissent faire ! Motif : Je vends de la bière et je place de la bière ! Si bien que l'on peut affirmer que le bock de bière est désormais le symbole de notre droit congolais et de nos libertés congolaises !
Mais attention ! Eh oui ! Comme il y a dans un même pays, des races différentes, comme en Belgique même, ils ont leurs Flamands et leurs Wallons, et chacun sait

qu'il n'y a pas pire que les Flamands, il y a bière et bière ! Des races de bière ! des familles de bière ! Et je suis venu ici parler de la meilleure des bières, de la meilleure des bières du monde : la Polar ! – Polar, la fraîcheur des pôles sous les tropiques ! Polar, la bière de la liberté congolaise ! Polar la bière de l'amitié et de la fraternité congolaises !

UN BADAUD

Ouais ! Mais j'ai entendu dire que la Polar rend impuissant. Que la Polar diminue le n'golo ! Répondez à cela, monsieur !

LE BONIMENTEUR

Remarquez, citoyen, que je ne réponds pas à votre provocation par la provocation ! et que je ne vous demande pas de m'envoyer votre femme ou votre sœur.

Rires dans l'assistance.

UN ASSISTANT

Ho ! Ho ! Celui-là est un mâle !

LE BONIMENTEUR

Mais je me tourne vers les filles que voilà, ces beaux brins de filles et je leur pose la question. Allons mes filles, mes plaisantes au clair sourire, mes filles au ventre souple de serpent, ne répondrez-vous pas ?

LES FILLES

chantent

Femmes lisses comme un miroir
Corps sans mensonge
Beignet de miel
Cheveux à l'éclat ondoyant d'un burnous.

Deux papayes mûres
Sur la poitrine sans défaut.

Applaudissements de la foule.

PREMIER FLIC BELGE

Pas mal, son boniment ! Il a du bagou !

DEUXIÈME FLIC

Ouais ! Mais inquiétant ! Son bock de bière est une vraie boîte à malices ! Qu'est-ce qu'il en sort ? Je vais lui en toucher deux mots !

PREMIER FLIC

Fais gaffe ! Il faut vendre la Polar ! Tu sais qui est le patron de la Polar ?

DEUXIÈME FLIC

Comment veux-tu que je le sache ? Je sais seulement que ce nègre est dangereux !

PREMIER FLIC

Tu es jeune ! Je te le dis : derrière Polar, il y a le ministre... Eh oui... le ministre du Congo ! Ça te chiffonne ! Mais c'est comme ça ! Alors tu comprends ! Allons, viens prendre une chope !

DEUXIÈME FLIC

Je veux bien. Donne quand même le nom du pèlerin... Quelque chose me dit qu'on en aura besoin.

PREMIER FLIC

Oh ! Il est fiché ! Rassure-toi. Fiché. Son nom ? Patrice Lumumba.

DEUXIÈME FLIC

Et celui-là, il est fiché aussi ?

PREMIER FLIC

Oh ! ce n'est que le joueur de sanza. Pas dangereux. Mais emmerdant, ça oui ! Partout présent ! Une vraie mouche, et toujours à bourdonner.

LE JOUEUR DE SANZA

chante

Ata-ndele... « Tôt ou tard ».

Scène 2

Une voix s'élève derrière le théâtre et s'enfle progressivement, cependant que dans le va-et-vient des garçons de café et des consommateurs s'installe un bar africain.

LE JOUEUR DE SANZA

Écoutez ! Écoutez ! Le buffle est blessé. Il n'en peut plus parce qu'il a reçu des balles. C'est pour cela que le buffle devient furieux. Qui est le buffle ? Le buffle, c'est le gouvernement des Belges et des Flamands. Comme le buffle est maintenant blessé, il est plein de menaces. Quant à vous, reculeriez-vous à cause de ses menaces ? Le buffle est un animal brutal. Auriez-vous peur de sa brutalité ? De son galop lourd ?
Voici le chant de nos ancêtres :

Le buffle a la marche lourde,
la marche lourde, la marche lourde,

Si vous le voyez, n'ayez pas peur de cette marche lourde
De cette marche lourde, de cette marche lourde.

Le bar est installé. Lumières violentes. Petites tables. Va-et-vient de consommateurs et de femmes libres.

PREMIÈRE FEMME

chantant

Venez, pourquoi avoir peur ?
Je ne suis pas mariée
Je me suis mariée trop tôt.
Je pensais qu'il n'y a pas d'autres hommes
Ah ! si seulement j'avais su !

s'approchant d'une table

Vraiment ! On n'est pas galant au Congo ! Des hommes qui consomment seuls leur bière et laissent une demoiselle debout, le gosier sec !

UN HOMME

Il siffle.

Et quelle demoiselle ! Rien à dire ! pour une femme, c'est une femme six bougies. On va se serrer un peu, prenez place, ma petite dame, prenez place.

DEUXIÈME FEMME

s'approchant

Oh ! Oh ! les copines ! aidez-moi ! aidez-moi ! J'ai eu un petit accident. Mon *jikita* a cédé. Ces petits bourrelets de *simbas* ne tiennent pas. C'est des bouchons pourris. Ces sacrés Flamands, ils nous trompent de toutes les manières !

UN HOMME

Ils nous trompent et ils nous exploitent, petite mère oui, ils nous exploitent. Le nègre, voyez-vous, n'est pas assez méfiant !

PREMIÈRE FEMME

se dénudant

Moi, j'ai résolu le problème, j'ai abandonné le *jikita*. Je ne m'habille plus qu'à la *jibula* !

UN HOMME

riant

Doucement ! doucement ! dis plutôt que tu te déshabilles à la *jibula* ! avec cette mode, quand les femmes marchent, on voit la cuisse, et même plus ! Hé ! Hé ! Je dis beaucoup plus.

DEUXIÈME FEMME

Ingrat ! De quoi te plains-tu puisque c'est gratis ! Ah les hommes sont devenus avares, pingres, méchants ! Aussi j'en ai assez de cette vie !

chantant

Écoutez, mes amis
Dieu nous a donné des mères,
Des mères qui, pour de l'argent
Nous tuent, pour toujours plus d'argent !

Entre un homme habillé à l'européenne, allure de maquereau, c'est Mokutu.

MOKUTU

Les gars et les garces, salut ! J'ai du neuf à vous vendre. Les Flamands ont arrêté Patrice, rien à faire pour les attendrir ! Ils l'ont transféré menottes aux mains à Eville, et pendant ce temps, les politiciens sont en table ronde à Bruxelles, en train de décider du sort du Congo. Si les politiciens africains avaient quelque chose dans le pantalon, sûr qu'ils auraient décidé de ne pas siéger tant que Patrice n'aurait pas été relâché.

UN HOMME

Ouais, c'est un point de vue. N'empêche que nous ne travaillons pas pour le sort d'un homme, mais pour le sort d'un pays !

MOKUTU

Oh ! Oh ! Est-ce qu'il y aurait des Flamands, par ici ? des Flamands noirs ? Il y en a bien de roses, pourquoi pas de noirs, hein ? Camarade, tu ne t'es jamais demandé ce qui arriverait si le sort d'un homme et le sort d'un pays se confondaient, non ?

L'HOMME

Bon ! Bon ! Mais que faire ? On ne va tout de même pas donner l'assaut avec nos poings nus à la prison d'Élisabethville !

MOKUTU

Est-ce que je sais, moi ? Nom de Dieu ! Faites n'importe quoi, mais faites ! Tous les chemins sont bons. D'ailleurs à l'heure actuelle au Congo, tous les chemins mènent à la révolution, alors prenez n'importe lequel, mais prenez !

La voix s'élève de nouveau de derrière le théâtre et chante l'hymne des Kimbanguistes.

LE JOUEUR DE SANZA

Nous sommes les enfants orphelins,
Nuit noire, âpre est le chemin,

Dieu puissant, où trouver le soutien ?
Père Congo, qui nous tendra la main ?

PREMIÈRE FEMME

Je propose qu'on prenne le deuil pour six mois ! Quand on perd un des nôtres on prend le deuil, et Patrice était, en un certain sens, un des nôtres !

MOKUTU

Quelle blague ! Tu penses si les Flamands s'en balancent !

DEUXIÈME FEMME

Moi, qu'on se mette en grève, et qu'on circule avec nos étendards ; toutes nos associations, Lolita, Dollar, la Femme libre, Espérance, marchant, défilant avec leurs oriflammes jaunes, verts, rouges, ça fera de l'effet !

LA MAMA MAKOSI (ou femme puissante)

Assez de bêtises : Ni deuil, ni grève. Le travail, c'est le travail. On travaillera. Plus que jamais. On paiera une caution aux Belges ; le buffle aime l'argent, c'est connu, c'est sa nourriture, et Patrice ira siéger à Bruxelles avec les autres. J'ai fini de parler.

MOKUTU

Mes enfants, il faut que je vous laisse. Faites ce que vous dictera votre cœur. Tout ce que vous ferez pour Patrice est bien ! Merci !

LE JOUEUR DE SANZA

Il se lève et chante, et le chant est repris par la foule.

Vienne le temps des pluies,
Viendra aussi la guerre,

Le temps du sang rouge
Est le temps que j'annonce,
Puissant est le buffle, et puissant l'éléphant,
Mais où fuir ?
Elle n'a prévu leur science
Ni la porte, ni le chemin
Bientôt tombera le buffle, et bientôt l'éléphant
De Dieu ils sentiront la redoutable main
Le temps que j'annonce est le temps du sang rouge,
La liberté est pour demain.

Scène 3

Prison d'Élisabethville.

PREMIER GEÔLIER

au téléphone

Allô ? J'écoute ! Oui, Monsieur le Directeur... Parfait, Monsieur le Directeur... A vos ordres, Monsieur le Directeur !

DEUXIÈME GEÔLIER

Patron, qu'est-ce que c'est ? Grave ?

PREMIER GEÔLIER

C'est le directeur qui nous avertit qu'il s'amène en visite, rapport au sieur Patrice Lumumba.

DEUXIÈME GEÔLIER

Oh ! celui-là, il ne nous fait que des emmerdements. J'ai vu bien des prisonniers, mais, parole de geôlier, rien de plus emmerdant que ces nègres à monocle.

PREMIER GEÔLIER

Et d'une prétention ! Même que maintenant, il fait des vers ! Macaque poète ! Tenez ! Mais ramène-le ici, le temps qu'on le mette en condition de parler avec Monsieur le Directeur et de lui rafraîchir la mémoire quant au règlement !

Pendant que le deuxième geôlier va chercher le prisonnier, le premier geôlier lit.

PREMIER GEÔLIER

Oh ! Oh !

Congo, et puis s'en vint le Blanc
Violentant tes femmes
Enivrant tes guerriers
Mais l'avenir heureux apporte la délivrance
Les rives du grand fleuve sont désormais tiennes
Tienne cette terre et toutes ces richesses
Tien là-haut le soleil.

Où est-ce qu'il va pêcher ça, le soleil ? Ils ne se contentent pas de convoiter nos maisons et nos femmes, ils prendraient aussi le soleil !... Ah ! te voilà, salaud, fumier, ingrat ! Ah ! monsieur fait des vers ! Mais qu'est-ce qui t'a appris à lire, macaque, sinon ces Belges que tu hais tant ! Tiens, attrape, je vais faire de la poésie sur tes côtes.

Il le frappe.

DEUXIÈME GEÔLIER

Collègue, ce n'est pas tout : voici ce que je viens de surprendre dans sa cellule : le manuscrit d'un article où le prisonnier proteste contre son incarcération, bien entendu illégale ! (Vous savez ils disent tous ça !) et réclame son élargissement pour qu'il puisse participer aux travaux de la Table Ronde à Bruxelles. Signé : Patrice Lumumba, président du M.N.C.

PREMIER GEÔLIER

Pas mal, hein ?

Il le frappe.

Tu te vois à Bruxelles, sauvage ? Et qu'est-ce que tu lui dirais au roi, si tu le voyais ? Qu'est-ce que tu lui dirais au Bwana Kitoko ?

DEUXIÈME GEÔLIER

frappant

Sans doute qu'il veut être ministre !

Il rit.

Tu te vois excellence, macaque !... Excellence.

PREMIER GEÔLIER

Possible ! Mais faudrait d'abord qu'il mange le roi Kala. Fiston, ne l'abîme pas trop, rapport au directeur qui peut s'amener d'un moment à l'autre. Tiens ! Le voici !

Entre le directeur.

LE DIRECTEUR

Monsieur Lumumba, je vous apporte une bonne, une excellente nouvelle ! Oui, ça arrive parfois aux directeurs de prison, d'apporter à leurs prisonniers de bonnes, d'excellentes nouvelles : Je viens de recevoir de Bruxelles un ordre vous concernant. M. le Ministre du Congo a décidé votre élargissement et souhaite qu'en tant que président du M.N.C., le Mouvement National Congolais, comme vous dites, vous participiez aux travaux de la Table Ronde. Je suis chargé de prendre toute mesure pour vous faciliter le voyage ; je vous avise qu'il y a demain un avion de la Sabena pour Bruxelles ; vous êtes libre, Monsieur Lumumba. Bon voyage, Excellence !

LES GEÔLIERS

Oh ! Oh !

Ils s'inclinent.

Bon voyage, Excellence !

LE JOUEUR DE SANZA

passe, il chante

Kongo Mpaka Dima

(Mes frères, soyez vigilants, le Congo bouge.)

Scène 4

Un écriteau tombe des cintres ; on y lit : « Bruxelles, salle de la Table Ronde ».
C'est l'antichambre d'une salle du palais où se tient la Table Ronde des partis africains.
Va-et-vient de 4 ou 5 hommes déguisés en banquiers de caricature : habit, haut-de-forme, gros cigare.
L'indignation et la panique sont à leur comble ; on vient d'apprendre par des indiscrétions que le gouvernement belge, à la demande de Lumumba, a accepté de fixer au 30 juin 1960, l'indépendance du Congo.

PREMIER BANQUIER

C'est foutu. Un gouvernement de traîtres nous brade notre Empire.

DEUXIÈME BANQUIER

Ainsi, de l'Indépendance ils ont fixé la date !

TROISIÈME BANQUIER

Hélas ! ils ont de ce macaque, accepté le diktat !

QUATRIÈME BANQUIER

Du cran, messieurs, du cran, toujours du cran que diable !
Il faut épouser son temps ! Je ne dis pas l'aimer, il suffit d'épouser !
Cette indépendance n'a rien qui me déroute.

PREMIER BANQUIER

De ce qui constitue une calamité vraie
ruine l'État, assèche nos finances
ravale ce pays au rang d'infime puissance
c'est prendre son parti de manière longanime

DEUXIÈME BANQUIER

Inquiétant paradoxe ou dangereuse maxime
les deux sans doute ! Collègue, je le dis tout à trac
Je ne sais ce qu'il y a au fond de votre sac !
Mais quand dans un vaste empire se propage le mal,
C'est mal choisir son temps pour faire le libéral !

QUATRIÈME BANQUIER

Quand dans un vaste empire se propage le mal
les solutions hardies sont aussi les seules sages !

PREMIER BANQUIER

Rien de plus irritant, monsieur que ces obscurités !
Au fait ! pour sortir de nos difficultés,
Si vous avez un plan, dites, parlez, proposez
Au lieu de finasser.

DEUXIÈME BANQUIER

Oui-da ! Avez-vous ce qu'on appelle une politique ?

QUATRIÈME BANQUIER

Une politique ? Le mot est gros, mais un peu de jugeote,
çà et là des idées qui, par ma cervelle trottent ;
à cela nul mérite. Vingt ans de tropiques :
Pensez, je les connais. Axiome :
pour rendre traitable le Sauvage, il n'est que deux pratiques :
La trique, mon cher, ou bien le matabich !

PREMIER BANQUIER

Eh bien ?

QUATRIÈME BANQUIER

Eh ! bien tant pis, je vous croyais plus vifs.
Suivez l'idée. Que veulent-ils ? Des postes, des titres,
Présidents, députés, sénateurs, ministres !
Enfin le matabich ! Bon ! Auto, compte en banque
Villas, gros traitements, je ne lésine point.
Axiome, et c'est là l'important : qu'on les gave !
Résultat : leur cœur s'attendrit, leur humeur devient suave.
Vous voyez peu à peu où le système nous porte :
Entre leur peuple et nous, se dresse leur cohorte.
Si du moins avec eux, à défaut d'amitié
En ce siècle ingrat sentiment périmé
Nous savons nouer les nœuds de la complicité.

PREMIER BANQUIER

Il suffit ; bravo collègue ! Accord sans réticence !

CHŒUR DES BANQUIERS

Hurrah ! Hurrah ! Vive l'Indépendance !

Scène 5

Léopoldville, foule en liesse et bon enfant.
On entend le cha-cha de l'Indépendance.

Premier groupe

UN CITOYEN

... C'est quoi au juste, votre Dipenda ?

DEUXIÈME CITOYEN

Idiot, c'est la fête, notre fête ;
tu vois bien : c'est quand c'est les Noirs
qui commandent et les Blancs qui
obéissent !

PREMIER CITOYEN

Ah ! je vois ! C'est très, très bien ! Un carnaval quoi !
Eh bien : Vive Dipenda !

Deuxième groupe

UNE FEMME

Comment elle arrive, Dipenda ? En auto, en bateau, en avion ?

UN HOMME

Elle arrive avec le petit roi blanc, le bwana Kitoko, c'est lui qui nous l'apporte.

LE JOUEUR DE SANZA

Dipenda ! On ne nous l'apporte pas, c'est nous qui la prenons, citoyens !

LE TRIBALISTE MUKONGO

Peu importe ! Donnée ou arrachée, ce que je sais, c'est que maintenant que nous avons Dipenda, il faudra que tous les Bengalas rentrent dans leurs villages. Le pays est gâté avec tous ces Bengalas-là !

UN MUNGALA

Attention, monsieur, ne nous provoquez pas. C'est nous qui sommes bien bons de tolérer qu'un Mukongo soit président de la République, qu'un Mukongo nous gouverne ; cette place revient à un homme du fleuve ! Vive Jean Bolikango ! Jean Bolikango au pouvoir !

LE JOUEUR DE SANZA

Allons ! messieurs, calmez-vous ! plus de querelles ethniques. Ne laissons pas le colonialisme diviser pour régner ! Dominons ces querelles tribales ! Qu'il n'y ait plus parmi nous de Bengalas, de Bakongos, de Batetelas, mais seulement des Congolais ! libres, unis, organisés ! Allons, célébrons notre unité autour d'une bonne bière, je vous paie à boire, messieurs !

UN PARTISAN

Soit ! du moins faut-il savoir quelle bière, je ne bois que de la Polar.

DEUXIÈME PARTISAN

Moi, de la Primus !

LE BUVEUR ABAKO

Primus, la reine des bières ! La bière du roi Kala !

DEUXIÈME BUVEUR

Polar, la fraîcheur des pôles sous les tropiques !

LE JOUEUR DE SANZA

Je bois à la paix ! A toutes les paix : La paix des cœurs, la paix des ethnies, la paix des partis, la paix des bières, buvons messieurs, et trinquons qui en Polar, qui en Primus, mais à la santé du Congo !

TOUS

Vive le Congo !

Ils chantent l'indépendance cha-cha.

Scène 6

BASILIO, roi des Belges

Ce peuple barbare, jadis terrassé par la rude poigne de Boula Matari, nous l'avons pris en charge. Eh oui, la Providence nous a commis ce soin, et nous l'avons nourri, soigné, éduqué. Si nos efforts ont pu vaincre leur nature, si nos peines rencontrent salaire, par cette indépendance qu'aujourd'hui je leur apporte, nous allons l'éprouver. Qu'ils fassent donc l'essai de leur liberté. Ou bien ils donneront à l'Afrique l'exemple que, nous-mêmes, donnons à l'Europe : celui d'un peuple uni, décent, laborieux, et l'émancipation de nos pupilles nous fera, dans le monde, quelque honneur. Ou bien la racine barbare, alimentée dans le puissant fond primitif, reprendra sa vigueur malsaine, étouffant la bonne semence inlassablement semée, pendant cinquante ans, par le dévouement de nos missionnaires, et alors !

GÉNÉRAL MASSENS, général belge

Et alors ?

BASILIO

Nous aviserons en temps utile, Massens ; faisons plutôt confiance à la nature humaine, voulez-vous ?

GÉNÉRAL MASSENS

Vous savez Majesté, que je ne suis guère enthousiaste de ces expériences, lesquelles portent, au demeurant, la marque de la hardiesse et de la générosité qui caractérisent le génie de Votre Majesté...
Mais puisque vous le voulez ! Du moins, cette liberté dont ils ont fumé le mauvais chanvre et dont les émanations les enivrent de si déplorables visions, qu'ils sentent qu'ils la reçoivent, et non qu'ils la conquièrent. Majesté, je ne les crois pas si obtus qu'ils ne sentent toute la différence qui sépare un droit qui leur serait reconnu d'un don de votre Munificence royale !

BASILIO

Rassurez-vous, Massens, je le leur marquerai dans les formes les plus expresses, mais les voici !

KALA-LUBU, président de la République du Congo

s'adressant à Lumumba

Monsieur le premier bourgmestre, excusez-moi, c'est « Monsieur le Premier ministre » que je veux dire, mon souci est que les choses se passent bien, je veux dire convenablement. Les règles de la politesse nous en font un devoir, les règles de la politique aussi. Le temps serait mal choisi de plaintes, de récriminations, de paroles tonitruantes et malsonnantes. L'enfantement se fait dans la douleur, c'est la loi ; mais quand l'enfant naît, on lui sourit. Je voudrais aujourd'hui un Congo tout sourire. Mais voici le roi.

s'adressant à la foule

Allons, en chœur, vive le roi !

LA FOULE

Vive le roi ! Vive le Bwana Kitoko ! Vive le roi Kala !

La foule agite de petits drapeaux, portant le signe du kodi, emblème de l'Abako, coquille percée d'une épée. Explosion de pétards.
Un groupe d'enfants noirs sous la conduite d'un missionnaire à grande barbe, chante une chanson, un peu comme les Petits Chanteurs à la Croix de Bois.

BASILIO

haranguant les officiels

Bref sera mon propos. Il est pour adresser une pensée pieuse à mes prédécesseurs, tuteurs avant moi, de ce pays, et d'abord à Léopold, le fondateur, qui est venu ici non pour prendre ou dominer, mais pour donner et civiliser. Il est aussi pour dire notre reconnaissance à tous ceux qui jour après jour et au prix de quelles peines ! ont construit et bâti ce pays. Gloire aux fondateurs ! Gloire aux continuateurs ! Il est enfin, messieurs, pour vous remettre cet État, notre œuvre. Nous sommes un peuple d'ingénieurs et de manufacturiers. Je vous le dis sans forfanterie : nous vous remettons aujourd'hui une machine, bonne ; prenez-en soin ; c'est tout ce que je vous demande. Bien entendu puisqu'il s'agit de technique, et qu'il serait hasardeux de ne point prévoir de défaillances mécaniques, du moins sachez que vous pourrez toujours avoir recours à nous, et que vous demeure acquis, notre concours : notre concours désintéressé, messieurs ! Et maintenant, Congolais, prenez les commandes, le monde entier vous regarde !

KALA-LUBU

Sire ! La présence de Votre Auguste Majesté, aux cérémonies de ce jour mémorable, constitue un éclatant et nouveau témoignage de votre sollicitude pour toutes ces populations que vous avez aimées et protégées. Elles ont reçu votre message d'amitié avec tout le respect et toute la ferveur dont elles vous entourent, et garderont longtemps dans leur cœur les paroles que vous venez de leur adresser en cette heure solennelle. Elles sauront apprécier tout le prix de l'amitié que la Belgique leur offre, et s'engageront avec enthousiasme dans la voie d'une collaboration sincère. Quant à vous Congolais, mes frères, je veux que vous sachiez, que vous compreniez, que l'indépendance, amie des tribus, n'est pas venue pour abolir la loi, ni la coutume ; elle est venue pour les compléter, les accomplir et les harmoniser. L'indépendance, amie de la Nation, n'est pas venue davantage pour faire régresser la civilisation. L'indépendance est venue, tenue par la main, d'un côté par la Coutume, de l'autre par la Civilisation. L'indépendance est venue pour réconcilier l'ancien et le nouveau, la nation et les tribus. Restons fidèles à la Civilisation, restons fidèles à la Coutume et Dieu protégera le Congo.

Applaudissements incertains.

LUMUMBA

Moi, sire, je pense aux oubliés.
Nous sommes ceux que l'on dépossédа, que l'on frappa, que l'on mutila ; ceux que l'on tutoyait, ceux à qui l'on crachait au visage. Boys-cuisine, boys-chambres, boys, comme vous dites, lavadères, nous fûmes un peuple de boys, un peuple de oui-bwana, et qui doutait que l'homme pût ne pas être l'homme, n'avait qu'à nous regarder.
Sire, toute souffrance qui se pouvait souffrir, nous l'avons soufferte. Toute humiliation qui se pouvait boire, nous l'avons bue !
Mais, camarades, le goût de vivre, ils n'ont pu nous l'affadir dans la bouche, et nous avons lutté, avec nos pauvres moyens lutté pendant cinquante ans

et voici : nous avons vaincu.
Notre pays est désormais entre les mains de ses enfants.
Nôtre, ce ciel, ce fleuve, ces terres.
nôtre, le lac et la forêt.
nôtre, Karissimbi, Nyiragongo, Niamuragira, Mikéno,
Ehu, montagnes montées de la parole même du feu.
Congolais, aujourd'hui est un jour, grand.
C'est le jour où le monde accueille parmi les nations
Congo, notre mère
et surtout Congo, notre enfant,
l'enfant de nos veilles. de nos souffrances. de nos combats.
Camarades et frères de combat, que chacune de nos blessures se transforme en mamelle !
Que chacune de nos pensées, chacune de nos espérances soit rameau à brasser à neuf, l'air !
Pour Kongo ! Tenez. Je l'élève au-dessus de ma tête ;
Je le ramène sur mon épaule.
trois fois je lui crachote au visage
je le dépose par terre et vous demande à vous en : vérité, connaissez-vous cet enfant ? et vous répondez tous : c'est Kongo, notre roi !
Je voudrais être toucan, le bel oiseau, pour être à travers le ciel, annonceur, à races et langues que Kongo nous est né, notre roi ! Kongo, qu'il vive !
Kongo, tard né, qu'il suive l'épervier !
Kongo, tard né, qu'il clôture la palabre !
Camarades, tout est à faire, ou tout est à refaire, mais nous le ferons, nous le referons. Pour Kongo !
Nous reprendrons les unes après les autres, toutes les lois, pour Kongo !
Nous réviserons, les unes après les autres, toutes les coutumes, pour Kongo !
Traquant l'injustice, nous reprendrons, l'une après l'autre toutes les parties du vieil édifice, et du pied à la tête, pour Kongo !

Tout ce qui est courbé sera redressé, tout ce qui est dressé sera rehaussé

pour Kongo !

Je demande l'union de tous !

Je demande le dévouement de tous ! Pour Kongo ! Uhuru !

Moment d'extase.

Congo ! Grand Temps !
et nous, ayant brûlé de l'année oripeaux et défroques,
procédons de mon unanime pas jubilant
dans le temps neuf ! Dans le solstice !

Stupeur. Ici, entrent quatre banquiers.

PREMIER BANQUIER

C'est horrible, c'est horrible, ça devait mal finir !

DEUXIÈME BANQUIER

Ce discours ! cette fois, ça y est, on peut faire sa valise !

TROISIÈME BANQUIER

très digne

C'est évident ! Là où l'ordre défaille, le banquier s'en va !

QUATRIÈME BANQUIER

Oui, sur le Congo, cette fois dérive sans balise !

Passe Mokutu affairé.

MOKUTU

J'avais misé sur lui ! qui a bien pu lui rédiger ce discours ? et dire que je voulais faire de lui un homme d'État ! S'il veut se casser le cou, tant pis pour lui ! dommage ! c'est dommage ! Trop aiguisé, le couteau déchire jusqu'à sa gaine !

Il crache.
Entre Lumumba.

LE JOUEUR DE SANZA

perplexe

Hum ! ne nous hâtons pas de juger le patron ! S'il l'a fait, il ne doit pas l'avoir fait sans raison. Même si, cette raison, nous ne la voyons pas !

LUMUMBA

Alors, d'accord, toi ? Ou es-tu de ceux qui croient que le ciel va s'effondrer parce qu'un nègre a osé, à la face du monde, engueuler un roi ? Non, tu n'es pas d'accord ! Je le vois dans tes yeux.

MOKUTU

Puisque tu m'interroges, je te répondrai par une histoire.

LUMUMBA

Je déteste les histoires.

MOKUTU

C'est pour aller vite. A onze ans, je chassais avec mon grand-père. Brusquement, je me trouvai nez à nez avec un léopard. Affolé, je lui lance mon javelot et le blesse. Fureur de mon grand-père. Je dus aller récupérer l'arme. Ce jour-là, j'ai compris une fois pour toutes que l'on ne doit pas attaquer une bête, si on n'est pas sûr de la tuer.

LUMUMBA

très froid

Tu as tort de n'être pas d'accord. Il y avait un tabou à lever. Je l'ai levé ! Quant à ton histoire, si elle signifie que tu hais le colonialisme, la Bête, et que tu es décidé à la traquer avec moi, et à l'achever avec moi... alors ça va...

MOKUTU

En doutes-tu Patrice ?

LUMUMBA

brusque

Bon ! Faisons la paix ! Je suis content.

Ils sortent.
Ici passe le Joueur de sanza. Il chante la complainte du lupéto.

LE JOUEUR DE SANZA

A prendre le vent
nul n'est plus qu'eux habile,
ils n'ont pas gueules d'assassins
mais blair à flairer toute odeur dans le vent
Ce sont les gens du lupéto.

Ce sont hommes d'appétit.
Pour la bouffe tout leur est râtelier
Ce sont les hommes du lupéto.

Le lupéto c'est de l'argent
ils ne sont ni bons ni méchants,
ce sont les hommes du lupéto.

Apparaît le cinquième banquier.

PREMIER BANQUIER

Félicitations, monsieur, du beau travail, en vérité !

CINQUIÈME BANQUIER

Collègue, je ne crois pas mériter votre sévérité
il n'est de politique qui de risques comporte.

DEUXIÈME BANQUIER

Voyez comme il s'en tire : des phrases, des généralités. c'est du toupet, monsieur quand votre plan avorte !

CINQUIÈME BANQUIER

Des phrases ? Non pas ! du cran, collègues !
A la moindre chiquenaude, comme une descente de lit
on ne va pas s'allonger. Tenez, suivez l'idée.

Il leur parle à l'oreille.

Vous avouerez, messieurs, que c'est de bonne logique si
Léo obtient qu'on s'autodétermine
Soit ! Nous ne pouvons l'empêcher, mais alors
que ce soit pour tous et d'abord pour nos mines !

PREMIER BANQUIER

Chut ! Chut ! laissez-moi écouter ! ce que dit le collègue est souvent fort sensé.

QUATRIÈME BANQUIER

Collègues, quand je considère l'océan d'anarchie où le pays s'abîme
Je m'avise qu'il nous reste la solution ultime ;
Oui, devant ce Congo mal venu, immense, embarrassant,
la pensée s'impose qu'il serait malséant
que de cet énorme et informe agrégat
ne pût à son gré, sortir notre Katanga !

PREMIER BANQUIER

Ah ! Je vous ai compris ! alors je vous embrasse.
Vive l'uranium libre ! c'est bien cela, n'est-ce pas ?

CINQUIÈME BANQUIER

Pas seulement l'uranium ! le diamant ! le cuivre ! le

cobalt ! le Katanga enfin ! le Katanga sonore et trébuchant !

CHŒUR DES BANQUIERS

Hourrah ! Hourrah ! Vive le Katanga !

Scène 7

Boîte de nuit : le Club de l'Élite : entre deux disques de Franco de Mi Amor, on entend la voix susurrante d'une speakerine.

LA SPEAKERINE

Ici le réarmement moral africain. Au travail citoyens ! au travail ! Je dis au travail, comme je dirais « aux armes ! » C'est qu'une guerre est commencée, Congolais, la guerre pour l'avenir du pays. Aussi bien la mobilisation des classes laborieuses doit-elle être totale, inconditionnelle, consciente, volontaire ! Les jours que le Congo a vécus sont semblables à une époque préhistorique. Mais avec l'indépendance nous avons accédé à l'âge historique, et l'âge de l'Histoire, citoyens c'est l'âge du Travail. Au travail ! Au travail, citoyens !

Cependant une autre voix s'élève, c'est celle de la Revendication.

LA REVENDICATION

Réveillez, réveillez-vous Congolais. Fermez l'oreille au bourrage de crâne ! Sortez de vos trous, de vos ateliers, de vos usines ! Mais pour revendiquer, et pour exiger ! L'indépendance ne doit pas être un mot vide. Croyez-moi, le mot n'est pas vide pour tout le monde. Demandez-le à vos parlementaires et à vos ministres. Les voitures, c'est pour les ministres et les députés. Les femmes, c'est pour les députés et les ministres. Le père Noël, c'est pour les nègres à monocle. Que le père Noël soit pour tous ! Voilà comme nous l'entendons, nous, l'indépendance du Congo ! Vive l'indépendance congolaise !

La scène est envahie par des soldats congolais, à moitié ivres, ceinturon à la main, et scandant : « A bas les politiciens ! Lumumba vaurien, Lumumba pamba, Lumumba pamba !... »

Scène 8

La lumière change, nous sommes à Kalina, dans le bureau du Premier ministre.

LUMUMBA

Appelez-moi Makessa. Kangolo, absent : joli chef de cabinet ! Inutile de chercher Sissoko il dort ! il ne se lève pas avant la nuit. Et vous croyez que ça va durer comme ça. Merde et merde ! Messieurs, qui sommes-nous ? Je m'en vais vous le dire. Des forçats. Moi je suis un forçat : un forçat volontaire. Vous êtes, vous devez être des forçats, c'est-à-dire des hommes condamnés à un travail sans fin, vous n'avez droit à aucun repos. Vous êtes à la disposition du Congo, vingt-quatre heures sur vingt-quatre ! vie privée, zéro ! pas de vie privée. En échange, vous n'aurez aucun souci matériel !... Car vous n'aurez pas le temps d'en avoir. Je sais, je sais. Il paraît que je suis exigeant, et puis aventureux, casse-cou que sais-je ? Oui, c'est ça, il paraît que je veux aller trop vite. Eh bien ! bande de limaçons, oui, il faut aller vite, il faut aller trop vite. Savez-vous combien j'ai de temps pour remonter cinquante ans d'histoire ? trois mois, messieurs ! Et vous croyez que j'ai le temps de ne pas aller trop vite !

M'POLO

Président, les soldats ! les soldats ! Ils arrivent !

LUMUMBA

Les soldats ? Qu'est-ce qu'ils foutent ? Les soldats ? Ils crient ? Qu'est-ce qu'ils crient ?

M'POLO

Ils s'en prennent à vous personnellement, président ! Ils crient : « A mort Lumumba ! Lumumba pamba ! »

LUMUMBA

accès de rage

Rien d'autre ? Salauds, vendus, Flamands, tous des Flamands ! Flamands et bâtards de Flamands ! Quand je pense que pendant cinquante ans, ils ont rampé devant le Belge, et nous n'avons pas plus tôt posé notre cul sur un fauteuil, que les voici à nous mordre les jarrets.

UN MINISTRE

C'est gai ! elle commence bien, l'indépendance !

LUMUMBA

Imbécile ! Et comment croyais-tu qu'elle commencerait ? Et comment crois-tu qu'elle continuera ? Comment croyez-vous que cela allait se passer ? Quand je vous ai nommés ministres, est-ce que vous avez eu l'impression que je vous invitais à une partie de plaisir ? En tout cas, je ne vous prends pas en traître. Tout. Nous aurons tout, et en même temps ? Et tout de suite : la révolte, le sabotage, la menace, la calomnie, le chantage, la trahison. Vous avez l'air étonnés ! C'est ça, le pouvoir : la trahison, la mort peut-être. La mort sans doute. Et c'est ça le Congo ! Comprenez : Le Congo est un pays où tout va vite. Une graine en terre aujourd'hui, et demain un buisson, que dis-je, une forêt ! en tout cas, les choses qui vont vite iront leur train. Ne comptez pas sur moi pour les ralentir ! M'polo, laisse entrer ces braillards, je leur parlerai... et ferai se retourner leur cœur au fond de leur poitrine.

Entrent les délégations des soldats.

Entrez, messieurs. Ah ! comme je regrette que vous ne vous soyez pas fait accompagner par les civils, ces messieurs de l'Apic et de l'Otraco, qui, si vaillamment, nous mettent aujourd'hui le couteau sur la gorge ! Je leur aurais demandé s'il y a décence quand, pendant cinquante ans, on a gardé la bouche close et tremblé devant le Belge, à ne pas accorder à un gouvernement congolais, à un gouvernement de Congolais, à un gouvernement de frères qui vient seulement de s'installer, le délai de quelques mois qu'il réclame pour étudier les dossiers et faire le tour des problèmes ! Quant à vous, soldats, je n'irai pas par quatre chemins. Vos revendications sont légitimes. Je les comprends, et je veux y faire droit ! Force publique vous étiez commandés par des Belges : Armée nationale vous exigez d'être commandés par des nationaux. Quoi de plus naturel ? Et nous n'avons pu hésiter un instant devant cette mesure d'africanisation radicale que parce que notre bonne volonté était mise en échec par le mauvais vouloir et les préjugés du général Massens. Prenez-en de la graine, messieurs ; voyez comme le colonialisme est perfide, têtu, funeste. Mais nous avons écarté Massens.

SOLDATS

A bas Massens ! A bas Massens !

LUMUMBA

Massens est écarté, et le gouvernement fait droit à vos réclamations. A chacun de vous donc, le gouvernement accorde la promotion au grade supérieur : le soldat de première classe devient sergent, le sergent, adjudant...

SOLDATS

Non ! Non ! Des colonels, des généraux !

MOKUTU

Monsieur le Premier ministre, ce que la troupe réclame, c'est une africanisation totale, et immédiate, des cadres. Au point où en sont les choses, il n'y a pas une minute à perdre !

LUMUMBA

Le problème n'a pas échappé au gouvernement. Aussi bien suis-je en mesure, d'ores et déjà, de vous annoncer que le gouvernement envisage, non, décide... non, a décidé, de nommer, dès aujourd'hui, un général congolais et un colonel, congolais. Le général est Lundula, et le colonel notre secrétaire d'État à la Jeunesse. M'polo, ici présent.

SOLDATS

Non ! Non, pas M'polo, ce n'est pas un soldat, c'est un politicien.

SOLDATS

C'est Mokutu que nous voulons. A bas M'polo ! vive Mokutu ! Mokutu a sept ans de Force publique ! C'est un soldat celui-là !

LUMUMBA

Vous choisissez Mokutu. Soit ! je ratifie votre choix. C'est vrai, Mokutu est un soldat, et Mokutu est mon ami, Mokutu est mon frère. Je sais que Mokutu ne me trahira jamais. M'polo a été nommé par le gouvernement ! Eh bien, moi ! je nomme Mokutu. Mais n'en parlons plus. La question est réglée ! Le problème n'est plus de savoir si vous serez officiers ou pas, puisque, désormais, vous l'êtes. Le problème est de savoir quelle sorte d'officiers vous choisissez d'être : des officiers de parade ? des officiers du profit ? des officiers de la nouvelle caste ? Ce que veut le gouvernement, c'est que vous soyez les officiers du peuple congolais, animés de l'esprit du peuple congolais et résolus à vous battre farouchement pour la préservation de l'indépendance congolaise. Le voulez-vous ?

SOLDATS

Oui ! Oui ! Vive Lumumba !

LUMUMBA

Soldats et officiers congolais, si l'ennemi vient, et il n'est pas impossible que ce soit pour plus tôt qu'on ne croit, il faut qu'il lui arrive malheur, comme au faucon, lorsqu'essayant de s'emparer de la viande que le villageois s'affaire à rôtir, il se brûle les serres !
Vive l'armée nationale congolaise, vive le Congo !

Hurrah des soldats.

LE JOUEUR DE SANZA

chante

Pollen de feu
ivre temps de semailles
petit oiseau qui va et vient

oublieux petit oiseau
de la glu comme de la sarbacane
quelle cervelle d'oiseau, dit le piège
l'oiseau a oublié le piège,
le piège se souvient de l'oiseau.

Scène 9

Dans l'obscurité, des réfugiés blancs traversent la scène emportant ce qu'ils peuvent... Ce sont des colons avec leur « biloko ».
Brusquement, des lumières rouges s'allument sur une immense carte du Congo. En haut, sur un balcon et dans une pénombre, deux ombres : Basilio et Massens.

PREMIER ÉMETTEUR

Myosotis appelle Gardénia, Myosotis appelle Gardénia ! Allô, allô, répondez Gardénia.

DEUXIÈME ÉMETTEUR

Angèle, Betty appelle Angèle. On nous annonce douze voitures avec femmes et enfants partent vers la base de Kitona ! prière venir à leur rencontre.

TROISIÈME ÉMETTEUR

Myosotis appelle Gardénia, allô Gardénia. Vous transmettons nouvelles reçues à l'instant de Luluabourg province Kasaï. Mille deux cents Européens retranchés dans l'immeuble Immoèkasaï sont assiégés par troupes congolaises armées de mitrailleuses et de mortiers. Prière envoyer troupes de dégagement. Urgence extrême. Terminé !

QUATRIÈME ÉMETTEUR

Phénix ; allô Phénix. Transmettons de la part Juba, troupes Watsa, révolte générale ; quarante officiers belges prisonniers avec familles, subissent sévices, mutins. Urgence extrême intervenir. Terminé.

Entrent Basilio et Massens en tenue de général belge.

MASSENS

Eh bien Majesté ! l'expérience est concluante ! Ils nous ont cochonné notre Congo !

BASILIO

Hélas !

MASSENS

Majesté, ce sont des brutes qu'il faut ramener à la raison et je ne vois qu'un seul moyen.

BASILIO

Je sais Massens ; je sais. Un moyen auquel le droit international ne nous permet malheureusement pas de recourir.

MASSENS

Majesté, il n'est plus temps de s'encombrer de scrupules juridiques. La sauvegarde de vies européennes, de vies humaines est un impératif qui dépasse tous les autres !

BASILIO

Tous les autres, c'est vrai Massens. Allons ! Je vous donne carte blanche !

MASSENS

d'une voix tonnante

Soldats ! en avant !

Vision de para-commandos belges en action.
Noir.

LE JOUEUR DE SANZA

poussant le cri de guerre congolais

Congolais ! Luma ! Luma !

Les tam-tams de guerre résonnent longuement dans la nuit, transmettant la nouvelle de l'agression belge.

Scène 10

Quand la lumière revient, nous sommes en avion au-dessus d'Élisabethville. Vent, pluie, éclairs.

LUMUMBA

Quel temps ! Voyez ! voyez ! Le vent arrache les arbres. Quelle pluie ! le temps est aussi mauvais que la situation du Congo, et ce n'est pas peu dire. On dirait une harde d'éléphants fantômes chargeant à travers une forêt de bambous. C'est la saison des pluies qui commence ! un peu tôt n'est-ce pas ?

KALA

Il est certain qu'il ne fait pas beau... Mais quand Dieu est perplexe, notre ignorance dit que c'est le brouillard.

LUMUMBA

Pilote, qu'attendez-vous pour atterrir ? Ce voyage est interminable. Où sommes-nous ?

LE PILOTE

On arrive au-dessus d'Élisabethville, mais, Excellence, c'est que nous sommes pris dans un véritable ouragan tropical, et voici le radio qui explique quelque chose.

On lui tend un papier.
Il lit.

Allons bon ! M'siri et Tzumbi en personne à la tour de contrôle. Les autorités katangaises refusent de laisser atterrir l'avion.

LUMUMBA

M'siri ? Tzumbi ? Les autorités katangaises ? Sommes-nous, oui ou non, les autorités congolaises ? Et le Katanga fait-il, oui ou non, partie du Congo ? Pilote ! atterrissez ! Atterrissez, vous dis-je, quoi qu'il arrive !

LE PILOTE

Impossible, Monsieur le Ministre. Le temps est épouvantable, et vous voyez, ils viennent d'éteindre le balisage. Je suis obligé de reprendre de la hauteur !

LUMUMBA

Misérable ! Traître ! Flamand ! Vous pactisez avec les dépeceurs du Congo ! Vous refusez !

cependant que l'avion reprend de la hauteur

LE PILOTE

Monsieur le Président, quelle direction ?

KALA

Léopoldville.

LUMUMBA

Non ! des armes ! des armes ! A Moscou ! A Moscou !

Noir.

Scène 11

Quand la lumière revient, nous sommes au parlement congolais à Léopoldville. Cependant que les sénateurs s'installent, passe le joueur de sanza. Il chante.

LE JOUEUR DE SANZA

Malafoutier qui montes jusqu'au haut du palmier,
descends, petite fourmi,
descends petit passereau
les bonnes âmes chantent au pied du palmier
Malafoutier tu montes, tu montes
passereau de liberté ivre !

PREMIER SÉNATEUR

Chers et honorables collègues, le Congo est devenu un vaste cimetière ; les Belges se sont conduits comme les légions romaines.

DEUXIÈME SÉNATEUR

J'attire l'attention du gouvernement sur la question des finances, oui ! les finances ! le trésor congolais a été dissipé, volatilisé au vent du nord. Où aller dénicher l'argent, maintenant ? La banque du Congo a été transférée au Katanga. Allons-nous dormir tandis que Rome est en feu ? C'est la question que je pose au gouvernement. Pour ma part je n'hésite pas à dire que je désire mourir dans la tenue sénatoriale.

TROISIÈME SÉNATEUR

Nous ne sommes pas ici pour nous écœurer les uns les autres, camarades, c'est certain. Cependant, il y a des choses qu'on ne peut pas passer sous silence. Notre Premier ministre, notre président de la République ne sont jamais là. Il faut avoir le courage de le leur dire en face. Quand on les croit à Léo, ils sont à Matadi ; quand on les dit à Matadi, ils sont à Banane ; à Banane on vous dit qu'ils sont à Moanda et à Boma. Ils volent à droite à gauche, de-ci, de-là, et toujours ensemble. Pensez à cela, messieurs ! dans un pays civilisé, quand le mari sort, il faut que la femme reste à la maison. Je demande que le Sénat prenne mon vœu en considération [1].

LUMUMBA

Et moi, je vous assure, messieurs, que nous ne voyageons pas assez. Ah ! que pour ma part, j'aurais voulu pouvoir me multiplier, me diviser, être moi-même innombrable pour être partout à la fois présent. Matadi, Boma, Élisabethville, Luluabourg, pour pouvoir déjouer partout l'innombrable complot de l'ennemi ! Car il éclate partout le complot de l'ennemi ! Ce complot, le complot belge, je le vois ourdi dès le premier jour de notre indépendance, ourdi par des hommes travaillés de dépit et époinçonnés de haine. Je le vois, sous les traits du général Massens soulevant contre le gouvernement la Force publique, à qui nous étions désignés, nous tous, comme un ramassis de politiciens et de profiteurs sans scru-

1. A la scène, la scène 10 et le début de la scène 11 s'interpénètrent et se jouent de manière concomitante.

pules ! Le complot belge ? Je le vois en la personne de l'ambassadeur de Belgique à Léo, le sieur Van den Putt, sabotant, détraquant, et pour mieux désorganiser notre République, organisant massivement l'exode de ses fonctionnaires. Le complot belge ? je le vois en tenue de général, préparant méthodiquement, et ce, dès le premier jour, son lâcher de parachutes et ses raids de soudards. Le complot belge ? C'est le traité d'amitié que les Belges avaient signé avec nous, déchiré comme un chiffon de papier ; ce sont les bases de stationnement que nous leur avions concédées, transformées en bases d'agression contre nous. Le complot belge ? C'est Kabolo, Boma, Matadi ! Matadi et ses monceaux de cadavres ! Mais le plus grave vient de se produire : Aujourd'hui, 11 juillet 1960, Tzumbi, notre frère Abraham Tzumbi, aidé de M'siri, Tzumbi, conseillé, poussé, patronné, financé et armé par les Belges, vient, sans consultation préalable des populations, de proclamer l'indépendance de notre plus riche province, le Katanga ! Et le premier acte de ce Katanga indépendant est, comme par hasard, de passer avec la Belgique un traité d'assistance militaire et de coopération économique. Est-il suffisamment clair, le complot belge ? Congolais, c'est ce complot qu'il faut briser, comme on brise dans l'eau, les pattes de la grenouille. Congolais, allez-vous laisser assassiner notre indépendance si chèrement conquise ? Et vous, Africains, mes frères, Mali, Guinée, Ghana, vers vous aussi, par-delà les frontières du Congo, nous crions. Afrique ! je te hurle ! Croient-ils donc à l'Afrique une lourdeur à l'oreille ? Ou lui croient-ils une faiblesse autour du cœur ? Ou croient-ils la main de l'Afrique trop courte pour délivrer ? Je sais bien que le colonialisme est puissant. Mais je le jure par l'Afrique : Tous unis, tous ensemble, nous percerons le monstre par les narines ! D'ores et déjà, mes frères, le Congo a remporté une

grande victoire. Nous avons lancé un appel à l'O.N.U., et l'O.N.U. a accueilli favorablement notre demande. Demain, le secrétaire général de l'organisation des Nations-Unies. M. Hammarskjöld, dont l'impartialité et la probité sont appréciées du Tiers Monde, sera parmi nous, à Léopoldville. Nous lui faisons confiance ! L'O.N.U. dira le droit et justice nous sera rendue ! Je n'en doute pas ! A la face du monde ! Pleine et entière justice ! Messieurs, j'en ai fini. Pour tout dire d'un mot, c'est notre indépendance, c'est notre existence en tant que nation, c'est notre liberté et tout ce que représente pour ce peuple Dipanda qui sont en jeu.
Alors je vous regarde, et à travers vous, je regarde chaque Congolais, les yeux dans les yeux, et lui répète les paroles de notre chant Kikongo :

> Mon frère, chose qui t'appartient
> en main tu la tiens
> qu'un autre veuille te l'arracher
> Accepteras-tu ?

Vous savez la réponse ? *Kizola ko !* Je n'accepte pas !

Les députés se lèvent et crient.

LES DÉPUTÉS

Kizola ko ! Je n'accepte pas ! Nous n'acceptons pas !

Scène 12

Noir, puis lumière.
Cependant qu'un certain nombre d'experts européens se groupent dans le fond, autour d'Hammarskjöld, le joueur de sanza passe au 1er plan et chante.

Père Congo
tu charries des fleurs, des îles.
Qu'est-ce qui gonfle ton cœur gris
et de hoquets te brise ?

HAMMARSKJÖLD

à ses experts

Messieurs, je suis sûr que tous, vous sentez comme moi-même, l'importance extrême de ce moment où nous foulons pour la première fois le sol du Congo. Le Congo n'est pas seulement un pays, un État, un malheureux État, qui sollicite notre aide et a besoin de notre protection. C'est aussi pour le service public international que veut être notre Organisation, un banc d'essai ; le banc d'essai par excellence ! Aussi bien le travail qui vous attend ici, n'est pas un marginal travail d'expert. Nous travaillons ici à l'avenir du monde. Agissons donc au mieux de notre intelligence pour l'évolution créatrice à laquelle nous avons le privilège de collaborer. Messieurs, si en ce moment solennel je voulais essayer non pas de résumer mes instructions, mais de synthétiser l'esprit dans lequel je souhaite que vous entrepreniez votre tâche ici, au Congo, c'est aux vers du poète que je croirais devoir avoir recours :
« Je t'ignore litige, et mon avis est que l'on vive !
Avec la torche dans le vent, avec la flamme dans le vent,
Et que tous hommes, en nous, si bien s'y mêlent et s'y consument
qu'à telle torche grandissante s'allume en nous plus de clarté... Irritable la chair où le prurit de l'âme nous tient encore rebelles
Et c'est un temps de haute fortune, lorsque les grands aventuriers de l'âme

sollicitent le pas sur la chaussée des hommes,
geant la terre entière
sur son aire, pour connaître le sens de ce très grand désordre, interrogeant
le lit, les eaux du ciel et les relais du fleuve d'ombre sur la terre
peut-être même s'irritant de n'avoir pas réponse... »
Mais voici nos hôtes. Méditez ces paroles, messieurs, méditez-les un instant et fortifiez-vous-en, au moment où telle une nouvelle chevalerie, je vous lance sur la brûlante chaussée des hommes.

S'adressant aux Congolais.

Messieurs les membres du gouvernement congolais, je suis heureux de venir au Congo au moment où les Nations-Unies, à la requête du gouvernement congolais, mettent leurs ressources à sa disposition, pour aider ses dirigeants à établir les bases d'un avenir prospère et heureux. Il est normal, qu'en me voyant pour la première fois, vous vous demandiez quel homme je suis. Je m'en vais vous le dire : Je suis un homme neutre. On s'est parfois demandé si cela peut exister, un homme neutre. Eh bien, j'existe ! Dieu merci ! j'existe ! et je suis un homme neutre. Les problèmes qui se posent au Congo doivent être résolus par une procédure politique et diplomatique normale. Je veux dire qu'ils doivent être résolus non par la force et l'intimidation, mais dans un esprit de justice et de paix. C'est pourquoi des hommes neutres peuvent œuvrer ici et aider efficacement le Congo à trouver une solution satisfaisante pour ses problèmes. Car enfin qu'est-ce qu'être des hommes neutres sinon être des hommes justes ? Encore faut-il préciser que j'entends ce mot dans son sens le plus exigeant et si j'ose dire, le plus prégnant : « Ceux, dit Maître Eckart, qui sont complètement sortis d'eux-mêmes ; qui ne cherchent rien au-dessus ni au-dessous, ni à côté d'eux-mêmes ; ceux

qui ne poursuivent ni bien ni gloire, ni agrément ni plaisir, ni intérêt, ni sainteté, ni récompense, mais se sont dégagés de tout cela. »
Bref, ceux qui donnent à Dieu son dû, et de qui Dieu reçoit son honneur.
Voilà, messieurs, dans quel esprit nous venons parmi vous. Pour vous aider à calmer les passions, à apaiser les esprits ! A pacifier les cœurs ! Donc Justice et Paix ! C'est par ces mots que je salue le Congo ! Vive le Congo, pacifique et heureux !

Scène 13

Cependant que la foule congolaise manifeste en dansant et en chantant le cha-cha de l'indépendance, l'ambassadeur du Grand Occident s'avance en avant-scène.

L'AMBASSADEUR GRAND OCCIDENTAL

Je sais bien qu'en tant que Nation, nous avons mauvaise réputation. On nous accuse d'avoir le colt facile, mais peut-on faire la politique du rocking-chair quand le monde, pour un rien, s'agite, et que les peuples entrent en ébullition ! Quand les peuples ne se conduisent pas en peuple décent, il faut que quelqu'un les ramène à la décence. C'est à nous que la Providence a confié cette tâche. Seigneur, merci !... Et puis, vous avez entendu, comme dans l'avion, il a crié : « A Moscou ! A Moscou ! » Eh bien, qu'on le sache, on n'est pas seulement les gendarmes, on est aussi les pompiers du monde ! Les pompiers préposés à circonscrire partout le feu allumé par la pyromanie communiste ! Je dis « partout » ! Au Congo, comme ailleurs ! A bon entendeur, salut !

Acte 2

Scène 1

Bar africain, le même qu'à l'Acte 1 ; va-et-vient des filles et de la Mama Makosi ; Lumumba, Mokutu et des amis s'installent.

LUMUMBA

Moi, j'aime ces endroits... je sais que ça fait tiquer les pharisiens de tous bords, mais...

MOKUTU

C'est un fait que l'on ne manquera pas de nous présenter à l'opinion publique internationale comme des singes libidineux ! Est-ce que, ministres et officiers, nous pouvons continuer à fréquenter ces lieux de notre jeunesse ? C'est une question que l'on peut se poser. Tu es maintenant un Mbota Mutu ! Penses-y !

LE FOU

... Oiseaux !

MOKUTU

Que signifient ces borborygmes ?

LE FOU

grognant

Hein ? je parle d'oiseaux... d'étranges oiseaux, chemise blanche, mais le cul noir.

LUMUMBA

Bizarre ce pouilleux. Quant à ta question, Mokutu, pour moi, elle est résolue... Il fait beau voir nos délicats se pincer le nez devant les bouges de Léopoldville. Je pense que les Américains doivent faire la même chose devant Harlem ! Et si les oppresseurs ne laissent à l'opprimé de liberté que celle du vice ?

MOKUTU

Tu ne songes quand même pas à venir discuter ici les affaires de l'État ! On a beau dire que le Congo est un grand bordel !

LUMUMBA

Je réfléchirai à ta proposition Mokutu... mais parlons sérieusement : l'Europe vint, et le Congo ne s'est pas effondré, non ! pire ! le Congo est entré en décomposition. Il s'est mis à se décomposer membre après membre, et à puer ! Tout y passe : l'État, la famille, l'homme. Si bien que ce bouge avec sa faune interlope et mêlée, est peut-être l'image même de notre Congo actuel. De la pourriture au soleil ! Du moins est-il encourageant de voir de temps en temps pointer leur tête à travers le compost, les germes du renouveau.

A la Mama Makosi qui approche.

Alors, Mama Makosi ?

MAMA MAKOSI

Patrice, puis-je compter sur toi pour notre bal de levée

de deuil ? Ce sera formidable : nous avons loué le Bar de l'Élite !

MOKUTU

Mama Makosi, rendez-vous compte ! On ne peut pas demander au Premier ministre ce qu'on pouvait attendre de l'ami Patrice...

MAMA MAKOSI

Oh ! tu sais, Patrice sera toujours pour nous Patrice. Où il ira, nous irons. Et je suis sûre qu'où nous sommes il viendra. En voilà un qui n'a pas honte de ses amis.

UNE FILLE

Oh ! oui ! Ce serait tellement gentil ! En tant que prê-chante, j'ai découvert une chanson formidable, tu sais.

Elle chante.

« Quand je mets mon foulard vert. »

Le fou passe entre les tables et fredonne.

MOKUTU

Quel est ce personnage ?

MAMA MAKOSI

Un fou ! Rien à faire depuis deux jours pour le mettre à la porte. Quand on lui demande sa profession, il répond : « insulteur de la nation » !

MOKUTU

Insulteur de la nation ?

LUMUMBA

Ça existe dans certaines tribus. Leur rôle : engueuler les

chefs. Pour pas qu'ils se prennent trop au sérieux. Ça peut être utile.

MOKUTU

Que fout donc la police ?

LUMUMBA

Qu'on foute donc la paix à ce fou. Il ne gêne personne !

LE FOU

Merci ! Merci... Alors c'est vous, les nouveaux Blancs... Je vous souhaite bien du plaisir avec le Congo... Moi je ne suis qu'un pauvre sauvage... Un coup de pied au derrière ne m'a jamais effrayé... Mais avec un bock de bière ça passe quand même mieux.

Il boit le verre de Mokutu qui fait un geste de menace.

LE FOU

déclamant

Ah ! Dieu des chrétiens, pourquoi as-tu permis que les Blancs s'en aillent...

MOKUTU

Tiens ! En voilà un qui ne peut plus vivre, parce qu'il n'a plus chaque jour sa ration de chicotte. C'est une intoxication comme une autre !

LUMUMBA

Non, Mokutu, c'est plus grave... Il est vraisemblable qu'il faut une tête plus solide que celle d'un de nos villageois pour supporter cette vérité que Dieu est mort !

LE FOU

Dieu, pourquoi as-tu fait les Noirs si mauvais !

MOKUTU

De mieux en mieux !

LE FOU

J'ai descendu le fleuve pour retrouver les hommes blancs qui ont quitté mon village, et je ne les ai point retrouvés ; les Blancs ont quitté le village et les hommes noirs sont mauvais ! Les hommes noirs sont maudits de Dieu...

LUMUMBA

Tu vois, Mokutu, l'utilité de fréquenter ces lieux ! Mama Makosi, merci à ton bar de m'avoir permis de mesurer d'un seul coup l'étendue amère de notre vérité et de quel mal il reste à le guérir, ce peuple ! Mama Makosi, tu peux compter sur moi, je serai à ton bal de levée de deuil, et j'y emmènerai mes ministres !

LE JOUEUR DE SANZA

Enlevons ce masque. J'en ai assez dit ! J'en ai assez fait ! On montre certaines choses à qui a de bons yeux. Le reste, il le voit de lui-même. D'ailleurs, ce qu'il y a à voir saute aux yeux. Pas besoin d'un grand vent pour dénuder le cul de la poule !

Scène 2

A Kalina, réunion de ministres congolais.

LUMUMBA

Messieurs, la situation est telle, qu'il n'y a pas une minute à perdre ! La bataille que nous livrons à l'heure actuelle, une bataille sur tous les fronts, est ni plus ni moins une bataille pour la survie du Congo.

CROULARD

Excusez, excusez-moi Excellence, avant que vous ne commenciez, je voudrais vous avertir que le secrétaire-adjoint des Nations-Unies, M. Bunche, insiste beaucoup pour vous voir...

LUMUMBA

Qui lui a dit de venir ? Qui l'a convoqué ? Tenez Croulard, puisque vous avez jugé bon de nous interrompre, passez-moi le dossier sur les chefferies... Par ailleurs, messieurs, il faut revoir la question des visas. On entre au Congo, comme ça, sans visa ! Ou pire, avec un visa belge !

CROULARD

Excellence, M. Bunche insiste beaucoup... il dit que...

LUMUMBA

Croulard ! allez-vous nous laisser travailler ?

Il se précipite au téléphone.

Allô ? allô Stanleyville ? C'est toi Jean ?... d'accord... prépare le meeting. Je prendrai la parole... Je t'avertis d'ores et déjà, ça fera du bruit ! Attends-toi à la suppression des chefferies et à la mobilisation des chômeurs : Allô ? Ah ! j'oubliais ! n'oublie pas de commander de la bière !... des tonnes de bière !... Oui, de la bière pour toute la population !... Salut !

Il raccroche.
Entre Isaac Kalonji.

ISAAC

Salut ! Salut tout le monde... Tout cela est bel et bon, mon cher Premier. Mais dites, quand entrons-nous au Katanga ? Je ne comprends pas qu'on hésite si longtemps. Il n'y a qu'à filer sur Bakwanga ! Là, nos partisans se soulèvent... Albert Kalonji fuit... Tzumbi fait ses prières...

M'POLO

Je suis d'accord avec Isaac.
Il faut s'emparer de Bakwanga. Qui tient le diamant, tient la couronne !

LUMUMBA

Il n'y a qu'à, comme tu dis ! Eh bien il n'y a qu'à me donner des avions ! J'y pense Isaac, j'y pense !

MOKUTU

Pas seulement des avions, Président... des troupes aussi, des troupes !... pas d'argent, pas de troupes ! Le militaire est comme ça ! et depuis deux mois, la solde n'est pas payée !

LUMUMBA

Bon ! bon ! On t'en donnera, de l'argent !

MOKUTU

Merci ! Mais vous n'avez pas fini de m'entendre grogner. Je n'aime pas le travail d'amateurs. Vous m'avez nommé colonel, je veux être un colonel sérieux.

LUMUMBA

Et alors ?

MOKUTU

Eh bien, il y a que j'apprends que M'polo se balade partout, quand ça lui chante, avec un képi de colonel et une badine... En tout cas, qu'entre nous deux, le gouvernement choisisse. Ou lui, ou moi !

LUMUMBA

Voyons, Mokutu, il n'y a pas de quoi se fâcher... C'est pendant que tu étais en tournée. Nous avons jugé prudent de nommer M'polo colonel, lui aussi. Vous n'êtes pas trop de deux pour faire face à la situation. Remarque que si tu n'es pas d'accord, on peut te nommer général, et laisser à M'polo le poste de chef d'état-major.

Brouhaha.

LE JOUEUR DE SANZA

Oui, c'est ça... C'est un bon compromis... Comme ça tout le monde a satisfaction.

MOKUTU

Je regrette. Je le dis tout net : l'armée n'est pas un guignol. Plutôt que de prendre part à vos folies, j'aime mieux démissionner.

LUMUMBA

Bon ! Mokutu est chef d'état-major. Qu'il le reste. M'polo, plus tard on avisera. En attendant, laisse là ton uniforme !

M'POLO

Ah ! je vois, l'enfant chéri ! Président, je suis brutal, mais la trahison rôde autour de vous et vous ne la voyez pas ! Quand donc allez-vous ouvrir les yeux ?

MOKUTU

Attention à ce que vous dites, M'polo. Je ne suis pas d'humeur à tolérer vos incartades !

M'POLO

Je hais les faux jetons.

MOKUTU

Et moi les grossiers personnages.

LUMUMBA

La paix ! Nous sommes une équipe. Il n'y a pas d'« enfant chéri ». Vous m'êtes chers tous les deux et tous les deux, chacun dans son style, utiles au Congo.

M'POLO

Grand, je crains que tu ne regrettes un jour d'avoir mis ta confiance dans des gens qui ne la méritaient pas. Espions, saboteurs, à chaque pas ici, on fait lever cette vermine. Ah ! Ça me dégoûte !

LUMUMBA

violemment

Assez !... Eh bien, Croulard, il arrive, ce dossier sur les chefferies ? Tous ces petits potentats qui ont aidé les colonialistes à écraser notre peuple ! ces chiens de garde du Belge, il faut qu'ils disparaissent et fassent place aux vraies élites... Et où les trouverait-on, les vraies élites, sinon dans le peuple ! Alors Croulard, ce dossier ?

CROULARD

C'est que je ne le retrouve pas, Excellence... Il y a ici un tel bazar ! Du moins voici un gros paquet que je ne cherchais pas !... Je l'ouvre, et qu'est-ce que je découvre ? Devinez ? Un lot de messages ! Ce sont les messages par lesquels une vingtaine de nations reconnaissent la République du Congo ! Et personne ne les a lus ! Depuis quinze jours ! C'est le bazar ! C'est le bazar, je vous dis !

LUMUMBA

Il est heureux, Croulard, que vous soyez là pour y mettre un peu d'ordre !

MOKUTU

grognant

Et aussi pour mettre son nez dans un tas de trucs qui ne le regardent pas !

M'POLO

Camarade Premier ministre, tout à l'heure, on a parlé du Katanga. A défaut du Katanga, nous pourrions, peut-être, prendre Léopoldville. Les jeunesses de l'Abako tiennent le haut du pavé, et s'enhardissent maintenant à venir nous conspuer jusque sous nos fenêtres.

MOKUTU

Attention, messieurs ! toucher à l'Abako, c'est qu'on le veuille ou non, toucher au président.

LUMUMBA

M'polo, tu es ministre de la Jeunesse que diable ! Qu'est-ce qui t'empêche d'organiser tes jeunesses à toi ! Les jeunesses M.N.C. ! A toute manifestation Abako, tu réponds par une contre-manifestation M.N.C. ! Et voilà ! Ce n'est quand même pas une question de gouvernement !

M'POLO

Okay, Chef... ça ne tombe pas dans l'oreille d'un sourd !

LUMUMBA

Brave M'polo !...

Entre le chef de la police.

Tiens ma police ! Quelles nouvelles ?

LE DIRECTEUR DE LA POLICE

Excellence, encore un article de Gabriel Makoso dans la Conscience Chrétienne ! Une diatribe de Mgr Malula... Et puis des tracts, une pluie de tracts !...

LUMUMBA

Les tracts, je les connais, je peux les réciter par cœur : Lumumba a vendu le Congo aux Russes, Lumumba a vendu son âme au diable ! Lumumba a reçu plusieurs millions de l'ambassadeur tchèque !

Prenant le journal.

Ça, c'est plus sérieux.

Il le parcourt des yeux.

Oh ! Oh ! Monseigneur n'y va pas de main morte ! Tiens M'polo, lis-nous ça à haute voix.

M'POLO

lisant

« Il convient de dénoncer avec force le laïcisme, ce déchet de l'Occident importé au Congo par des gouvernants indignes ! Sus aux ennemis de la religion, où qu'ils se trouvent, aux francs-maçons comme Makessa, et à ceux qui se flattent d'athéisme comme l'immonde Lumumba ! »

LUMUMBA

Hein ! pas mal pour un évêque ! L'immonde Lumumba ! Eh bien, il aura des nouvelles de l'immonde Lumumba !

Ces messieurs veulent la lutte ! On se battra. On se battra, et nous rendrons coup pour coup !
Police, prends tes dispositions, tu arrêtes Makoso et tu fermes son journal. Et d'un !

MOKUTU

Président, pardon ! n'est-ce pas imprudent ? Je crains des remous.

LUMUMBA

Attention, Mokutu, mêlez-vous de ce qui vous regarde ; je vous le dis une fois pour toutes... Que vous vous occupiez de l'armée, j'y consens ; mais la politique, c'est mon affaire à moi. Quant aux remous, tranquillisez-vous, je saurai y faire face...
Messieurs, ou bien nous frappons, ou bien nous nous laissons abattre ! Eh bien ! nous frapperons. Je demande que tout pouvoir soit donné à Lundula pour une action décisive dans le pays : l'armée arrêtera n'importe qui, blanc ou noir, qui voudrait créer des troubles. Pas de rémission ! Pas d'hésitation ! Tenez, ça grenouille terriblement à l'Abako ! Ils doivent tenir un congrès à Thysville. Vous voyez d'ici les motions ! C'est la sécession que l'on prépare ! Une sécession de plus ! Eh bien, il n'y aura pas de congrès. J'interdis le congrès ! D'ailleurs ces messieurs auraient tort de se plaindre : Ils n'ont pas respecté le délai réglementaire de deux semaines de préavis, prévu par la loi... D'accord messieurs ?

M'POLO

Camarade Premier ministre, c'est d'accord, la loi doit être la loi ! Il n'y a de privilèges pour personne !

LUMUMBA

Quant au Katanga, Isaac a raison d'insister. C'est la question essentielle. En la résolvant, nous résolvons tout le reste... Je verrai Hammarskjöld... L'O.N.U. a pour mission de nous aider... Tu auras tes avions, Mokutu, tu auras tes avions ! Comme dit Isaac, Tzumbi n'a plus qu'à faire ses prières !

Ici passe le joueur de sanza. Il chante.

LE JOUEUR DE SANZA

Soleil et pluie
Pluie battant
Soleil levant
Un éléphant
Fait un enfant.

Scène 3

LUMUMBA

Monsieur le secrétaire général, qui m'eût dit que moi qui ai appelé ici l'Organisation des Nations-Unies, moi qui, de tous les chefs d'État, ai le premier, fait toute confiance à cette institution, qui m'eût dit que les premières paroles que j'aurais à vous adresser seraient non de remerciement, mais de reproche et d'incrimination ! Croyez que j'en suis désolé. Mais il n'est que trop vrai que vous avez donné aux résolutions votées par le Conseil de Sécurité une interprétation toute personnelle : les Belges sont encore au Congo ! Et l'O.N.U. entre en conversation diplomatique avec le traître Tzumbi !

HAMMARSKJÖLD

Je suis le secrétaire général de l'Organisation des Nations-Unies. Je n'ai de compte à rendre qu'à son assemblée générale. Permettez-moi toutefois de vous indiquer que je n'avais pas reçu mandat de mettre le Katanga à feu et à sang.

LUMUMBA

Vous avez décommandé les opérations militaires qui nous eussent permis d'entrer à Élisabethville sans coup férir.

HAMMARSKJÖLD

Si je les ai décommandées, ou différées, c'est que les rapports de Bunche étaient formels : il eût fallu conquérir Élisabethville maison par maison.

LUMUMBA

Allons donc ! les populations du Katanga supportent avec impatience le joug de Tzumbi. Elles vous auraient accueilli comme un libérateur ! Mais vous avez cru devoir prendre langue avec le rebelle...

HAMMARSKJÖLD

Monsieur le Premier ministre, j'ai fait ce que me dictait ma conscience. C'est un point de doctrine, un point de ma doctrine que l'O.N.U. ne doit pas prendre parti dans un conflit intérieur, constitutionnel ou autre, et que ses forces militaires ne peuvent être utilisées pour en influencer l'issue ! Non pas qu'il n'y ait pas de problème, mais ce problème, je ne désespère pas de le résoudre. J'ai cru sentir dans le président Tzumbi, un homme non dénué, je dois le dire, d'une certaine sagesse. Je m'emploierai à le raisonner et à le convaincre. De toute manière, ce pays a assez souffert. Je ne veux pas, en entreprenant une campagne militaire, ajouter encore à ses malheurs.

LUMUMBA

Je vous sais gré de votre sollicitude ! Mais dites ? pour ce pays, quel malheur plus grand que de se résigner à la sécession de la plus riche partie de lui-même ? Résistance katangaise ? Tzumbi et M'siri ont dû bien rire : ils avaient déjà retenu en Rhodésie des villas de repli. Votre Bunche s'est laissé abuser comme un enfant. Bunche s'est trompé ! A moins que... Après tout, Bunche est américain...

HAMMARSKJÖLD

Que Bunche soit américain, n'a aucune importance. Je ne permets à personne de mettre en doute l'honnêteté et l'impartialité de mes collaborateurs. Homme neutre, je suis moi-même entouré d'hommes neutres qui font passer l'intérêt international avant toute considération dérivant de leur appartenance nationale !

LUMUMBA

Je laisse à l'histoire le soin d'en juger. Quoi qu'il en soit, et puisque l'O.N.U. manque à ses obligations, à son devoir, à sa mission, le gouvernement de la République du Congo assumera les responsabilités qui sont les siennes. Nous réduirons par la force la sécession katangaise. Nos troupes sont prêtes à entrer en campagne. Il faut en finir avant la saison des pluies. Je pense que l'O.N.U. ne nous refusera pas le prêt d'un certain nombre d'avions pour le transport des soldats !

HAMMARSKJÖLD

Des avions ? Je croyais vous avoir fait comprendre que par définition les forces de l'O.N.U. sont des forces de paix, non des forces d'agression !

LUMUMBA

La voilà, l'impartialité de l'O.N.U. Les voilà, les hommes neutres ! Les armes belges et les mercenaires affluent au Congo ! Il en débarque tous les jours, et vous laissez faire !

HAMMARSKJÖLD

Vous êtes injuste, j'ai adressé à ce sujet une note très ferme au gouvernement de Bruxelles.

LUMUMBA

Une note ! oui, une note ! En attendant la sécession se fortifie chaque jour, au vu et au su de tout le monde, et vous, non seulement vous n'agissez pas, mais vous ne nous laissez pas agir ! C'est bien ! le Congo se passera de votre aide : nous avons malgré tout quelques amis dans le monde ! Nous nous passerons des hommes neutres !

HAMMARSKJÖLD

Je me permets de vous rappeler que toute aide extérieure à la République du Congo ne peut se faire que par l'intermédiaire et par le canal de l'Organisation des Nations-Unies.

LUMUMBA

La prétention est forte ! Eh bien, permettez-moi à mon tour de vous rappeler que c'est un point de doctrine, un point de ma doctrine, que le Congo est un État indépendant, et que nous n'avons pas secoué la tutelle des Belges pour tomber, incontinent, sous la tutelle des Nations-Unies ! Adieu, Monsieur le Secrétaire général. Les Russes me prêteront les avions que vous me refusez ! Dans quelques jours nous serons à Élisabethville. Quant à vous, et quoi qu'il arrive, je souhaite que vous n'ayez pas à payer un jour trop cher le prix de vos illusions.

HAMMARSKJÖLD

Monsieur Lumumba, il y a une chose que j'ai apprise très tôt : c'est à dire oui au Destin, quel qu'il soit. Mais puisque nous sommes en train d'échanger des vœux, je souhaite, quoi qu'il arrive, que vous n'ayez pas à payer un jour trop cher, le prix de votre imprudence et de votre impulsivité... Adieu !

Ici passe le joueur de sanza.
Il chante.

La pie sur un épi
ébouriffe ses plumes et fait le paon
« cet épi m'appartient » dit la pie
richesse je ne veux mie
qui soit l'épi de la pie.

Scène 4

Noir, puis pénombre pleine de bruits inquiétants. On découvre peu à peu dans un climat de cauchemar des groupes : femmes, sorcières, guerriers armés de sagaies et de fusils pou-pou.
Une voix s'élève peu à peu, c'est la voix de la Guerre civile.

LA GUERRE

Garçon ! Verse le malafu !
Chaud et épicé
Et tout limoneux de sa lie,
verse le vin de palme ! Ivre, c'est mon épée que je réclame
L'épée aiguisée qui pend à la patère,
là où sont suspendues corne de buffle et sagaie !
Garçon ! verse le malafu !
Quand je suis ivre, je décroche mon arc
là où sont suspendues trompe de guerre et sagaie.
Garçon ! le jour je combattrai
et le soir je louangerai mon arc,

l'honorant d'un rameau de vigne sauvage
d'huile je te l'habille le soir
Le soir il mérite de briller comme miroir
Garçon ! Ma machette !
L'homme brave n'est pas fait pour mourir dans son lit,
l'homme brave est un éléphant
c'est un serpent cracheur !
Malafoutier, verse le vin couleur de sang ennemi
Quand reviendra le jour, les gens du pays ennemi
nous les regardons les yeux dans les yeux !
Garçon ! Verse le malafu !
De vin, de sang ennemi ? Je ne sais... Je suis ivre !
La sagaie est dans nos mains ! Eiii !
La sagaie frappe et dans la plaie se couche !
Tête ennemie, je te promènerai de village en village !

Scène 5

Kalina, Conseil des ministres congolais.

LUMUMBA

Messieurs, j'ai une grande nouvelle à vous annoncer. Bakwanga est prise : Le traître Kalonji est en fuite.

KALA

Hélas ! une victoire qui risque de nous coûter autant qu'une défaite !

UN MINISTRE

Je vous comprends, et je partage vos sentiments. Il faut avouer que l'A.N.C. a eu la main lourde ! Six mille Balubas tués ! Dans l'église Saint-Jean de Bakwanga, quarante familles Balubas ont été exterminées dans des conditions incroyables de cruauté ! On pourrait même dire de sadisme !

DEUXIÈME MINISTRE

Il faut rappeler l'armée !

TROISIÈME MINISTRE

L'A.N.C. nous a déshonorés à la face du monde !

LUMUMBA

Pauvres Balubas ! Massacrés par les nôtres au Kasaï ! Exterminés par les gendarmes de Tzumbi au Katanga ! On les dit les juifs de l'Afrique. Tous ces pogroms finiront par me le faire croire ! Mais une campagne militaire n'est nulle part une bataille de confetti !

KALA

N'empêche que nous voilà dans de beaux draps ! La presse mondiale, la belge singulièrement, est déchaînée contre nous. Quant à Hammarskjöld, il vitupère à l'O.N.U. et nous accuse de génocide.

LUMUMBA

Ça, c'est trop fort ! Et où était M. Hammarskjöld, quand les Belges massacraient nos hommes et violentaient nos femmes ?
Et maintenant, c'est nous les sauvages !
Les Belges ! Ah ! elle est bien bonne ! Et qui a dressé les Luluas contre les Balubas ? Qui a fait croire aux Balubas que les Luluas ne songeaient qu'à leur perte ? Qui a suscité le chef Kalamba Mangole, et l'a encouragé à réclamer la reconnaissance d'un royaume lulua, dont seraient expulsés les Balubas, à peine de se soumettre à l'autorité coutumière lulua ? Qui a fait croire aux uns et aux autres que l'existence des uns était incompatible avec celle des autres ? 1959 ! Hein, vous vous en souvenez ?

Balubas et Luluas s'entr'égorgeant sous les yeux complaisants des policiers belges ! Et où était Lumumba ? En prison ! Pour ce qui est de la presse mondiale, chrétienne, civilisée, parlez-m'en ! Et de la conscience universelle donc ! Vieux javart ! avec au-dessus de la sale sanie, le tourbillon des mouches ! Non ! Mais croient-ils que je vais, par peur de leurs cris hystériques, laisser dépiauter le Congo, comme la mangue, parcelle après parcelle, par l'oiseau picoreur ? Messieurs, je vous récuse !

Il rit.

Je récuse le tribunal tout entier ! En bloc ! Je récuse tout en bloc ! Votre droit ! Votre morale ! Votre code ! Oui, Messieurs les Ministres, réjouissons-nous ! Je veux qu'aujourd'hui, chaque Congolais boive un verre de bière pour célébrer la prise de Bakwanga !
Ce soir, je parlerai à la radio pour célébrer la prise de Bakwanga ! et je veux danser ce soir pour célébrer la prise de Bakwanga ! M'polo, nous irons cette nuit au Bar de l'Élite ! Non, chez Cassian ! Je connais une fille lulua ! La plus belle ! Elle s'appelle Hélène Bijou ! et c'est vrai ! Un vrai bijou de femme ! Avertis-la ! Ce soir, je danserai avec elle ! Avec une fille lulua ! A la face du monde entier !
Quant à vous, messieurs de la conscience universelle, la piste sera plus belle, illuminée de vos grimaces !

Scène 6

Bar « Chez Cassian ».
Lumumba et Hélène Bijou dansent dans une pénombre rose et verte.

HÉLÈNE

Je danse choses d'ombre caverneuse
aux ronces d'exil le feu du sang
foisonnements pris, vif de serpents.

LUMUMBA

Je danse l'affleurement de l'homme et sa salive, le sel !
Et l'homme seul, au profond de soi-seul éprouve dans
le dégoût sa chair de cassave fade.

HÉLÈNE

Je danse la fleur pavonie qui fait la roue autour du soleil
quand chaque battement du cil de l'astre avive le violet
lisse du sang facile.

LUMUMBA

Je danse le très haut vaisseau gouvernant
de son bord armorié la panique du Désir ;
c'est l'oiseau pavonie et sa pavane.

HÉLÈNE

Je danse l'allégresse, aux semailles du soleil,
de l'incongrue petite pluie plantant
son rire de cuivre défait dans la chair
surette de la mer.

LUMUMBA

Je danse l'insecte plus beau que tout nom
qui au tesson du fruit mûr installe
orfèvrerie de jais et d'obsidienne, sa lassitude repue.

HÉLÈNE

Voilà notre danse dansée
et le refrain qui ferme sa corolle
comme, fière d'avoir soutenu l'insoutenable,

se ferme, incendiée et comblée,
la fleur pavonie.

LUMUMBA

C'est bien, Bijou ! voilà dansée la danse de ma vie !
Bijou, quand je ne serai plus ;
quand je me serai défait, comme dans
le ciel nocturne, l'aveuglant météore aveugle,
quand le Congo ne sera plus qu'une saison que le sang assaisonne
continue à être belle
ne gardant du temps épouvantable
que les quelques gouttes de rosée qui rendent plus émouvante d'avoir traversé l'orage
l'aigrette du colibri.
Allons, amie, point de tristesse ; dansons jusqu'à l'aube
et me donne le cœur à marcher
jusqu'au bout de la nuit !

Scène 7

Palais présidentiel, appartement de Kala.

KALA

Que de sang ! Que d'horreurs ! Les Luluas tuent les Balubas ! Les Balubas exterminent les Luluas ! Et notre armée, l'armée nationale congolaise, massacre tout le monde !
Oh ! la guerre ! la guerre !
Bien sûr, j'ai donné mon consentement. Mais croyez-vous qu'il est facile de dire non à ce diable barbichu ! En tout cas, c'est lui qui a décidé. Et il est normal qu'il en supporte les conséquences !

Et puis, il y a sa désinvolture !
A preuve cet incident avec les soldats de l'O.N.U. ! Bunche a voulu lui en parler, lui l'a renvoyé à un sous-fifre. Naturellement, Bunche a fini par échouer chez moi ! « On ne me tient au courant de rien ! » lui ai-je répondu. Et c'est vrai ! de rien !... Me croit-il homme à jouer les potiches !
A dire vrai, il est bizarre. Il me surprendra toujours. Souvent plein de délicatesse, d'ailleurs. Je me souviens de ses paroles, quand il m'a quitté pour aller à New York. « Président, je vous laisse mon cœur. »
On n'invente pas ça ! « Je vous laisse mon cœur », ce sont des paroles d'amitié vraie et qui viennent du cœur... Ah ! le diable d'homme !
Ce que je lui reprocherai le plus, ce serait peut-être ça, cette mobilité ! Agité ! excité ! Une flamme qui court, qui court ! Un oiseau batailleur avec sa tête cherchant sur qui foncer !
Nos ancêtres avaient raison, le vrai chef ne s'agite pas. Il est. Il demeure. Il se concentre. C'est un concentré d'être. Le concentré du pays. Et se concentrant, doucement il rayonne...
Celui-ci est un emporté. Il ne rayonne pas. Il allume, il met le feu ! Kintu-Kintu !
Ah ! c'est qu'il me mettrait tout ici sens dessus dessous si je le laissais faire ! Et le feu au Congo, le feu au monde ! Mais je suis là et je ne le laisserai pas faire. Je suis là pour sauver le Congo et lui-même de lui-même ! Doucement, M. Patrice ! Doucement ! Le vieux Kala est là ! Il est là, que diable ! Oui, je suis là, et pour longtemps ! Ils m'appellent le vieux ! Je ne suis pas vieux ! Je suis lent ! On dit la tortue pleine de malice ! On devrait dire plutôt pleine de bon sens ! Je vais lentement ; lentement... Koukoutou Bouem ! Koukoutou Bouem ! Lui c'est un impétueux, un emporté !
Je n'aime pas les impétueux, même quand ils ont raison !

Ils vous donnent le vertige ! Et puis, tôt ou tard, ils s'essoufflent. Mais assez rêvé ! Il faut que je rédige ce discours ! En vérité, je ne vois pas pourquoi ils s'acharnent tous sur lui ! Mais sur qui ne s'acharnent-ils pas ! Ah ! le monde est mauvais maintenant ! Ne font-ils pas courir le bruit que Patrice me mène par le bout du nez ! Que j'ai trahi les Bakongos en acceptant la présidence. Ils osent écrire « Kala est une femme devant Lumumba ! »... « Kala est la femme de Lumumba ! »...
C'est stupide ! Un président est le chef ! C'est le roi ! D'ailleurs je peux le révoquer quand je veux, comme je veux ! La loi fondamentale m'en donne le pouvoir ! C'est le président qui décide, et les ministres qui exécutent. Bien entendu, je n'entends pas user de ce pouvoir. Patrice est intelligent, actif, populaire. Oui ça ! Il est populaire ! On a beau le calomnier, il est populaire ! Et c'est une force ça, la popularité ! Et il faut que j'en tienne compte... Mais pourquoi diable s'acharnent-ils contre lui ! Tenez, leur dernière trouvaille : Patrice est communiste, et moi en le protégeant, je fais le jeu du communisme international !
Moi, ça me fait rire ! Patrice communiste ! Je me souviens de sa tête, quand au plus fort de nos ennuis avec les Belges et dans un moment d'affolement, je lui ai proposé d'envoyer un télégramme à Khrouchtchev ! Savez-vous ce qu'il m'a répondu ? « Ce n'est pas possible, Monsieur le Président. On me dit déjà vendu aux communistes. Si je fais cela, on y verra une preuve de plus que je suis à la solde du Kremlin. Vous qui êtes chrétien, faites-le si vous voulez. Et encore on dira que je vous ai manœuvré ! »
Hein ! Vous croyez qu'il m'a manœuvré ? Il serait rudement fort ! rudement fort ! Il est vrai qu'il est fort. La semaine dernière, l'ambassadeur américain me disait : « Si Lumumba entrait dans une réunion d'hommes poli-

tiques congolais, un plateau à la main, comme garçon de café, il en sortirait président du Conseil ! »
Mais croient-ils qu'il est si facile que ça de rouler le vieux Kala !... Enfin !... J'en parlerai à Malula ! Monseigneur est de bon conseil... Et je demanderai à Mokutu de m'accompagner...

Il rit.

Moi aussi, j'aurais pu être évêque... Pensez... nous avons été condisciples au séminaire... Évêque, c'est certain, j'aurais eu moins d'ennuis... Mais on ne choisit pas son sort... Mon Dieu ! Mon Dieu ! Oh ! cette présidence !... Enfin, vais-je rédiger ce discours ! Allons Kala ! un petit effort ! un petit effort.

Il se remet au travail. Ici, le joueur de sanza chante.

LE JOUEUR DE SANZA

Des pensées, des éclairs
Je vois le crapaud qui coasse
Caméléon sur sa branche
Il attend et tend la langue.

Scène 8

Appartement des Lumumba. Lumumba et sa femme.

PAULINE LUMUMBA

Patrice, j'ai peur... Mon Dieu ! Mon Dieu ! je sens dans l'ombre ces poussées de haine, et je vois partout des termites, des crapauds, des araignées, toutes ces vilaines bêtes au service de l'envie. Je crois voir se resserrer autour de toi, toutes les trames de leurs sales complots, Patrice !...

LUMUMBA

Pourquoi avoir peur ? C'est vrai j'ai des ennemis... mais le peuple est pour moi, c'est le peuple ! ma sauvegarde, je n'ai qu'à lui parler, il me comprend lui, et il me suit ! Nous sommes en révolution, Pauline, et en révolution, c'est le peuple qui compte !

PAULINE

Le peuple, oui ! Mais il est faible, le peuple, désarmé, le peuple ! crédule ! Et tes ennemis sont puissants ! persévérants ! rusés ! soutenus par le monde entier !

LUMUMBA

Il ne faut pas exagérer... J'ai des amis aussi ! des amis fidèles ! Nous sommes une équipe... Comme dit le proverbe : « Nous sommes comme les poils du chien, tous couchés sur la même couchette ! »

PAULINE

Oh ! parle-moi de l'équipe... J'en vois des dizaines qui te doivent tout, et qui tournent autour de toi, et qui pourtant te guettent ! Certains te vendraient pour un plat de lentilles ! Je le sens !

LUMUMBA

Oh ! les femmes ! peuvent-elles être mauvaises ! toujours à imaginer le pire !

PAULINE

Et les hommes ! et toi ? crédule, confiant ! Tu es un enfant, Patrice !... Tiens, moi, je n'ai aucune confiance dans ton Mokutu... tu sais bien qu'il a été indicateur du temps des Belges...

LUMUMBA

On le dit Pauline... Mais tu sais la situation dans laquelle nous vivions à cette époque. Beaucoup n'avaient de choix qu'entre crever de faim, eux et leurs enfants, ou faire le mouchard ! ce n'est pas beau, sans doute, ce n'est pas beau... n'empêche que parmi ceux qui ont failli, il y a des hommes récupérables... Et Mokutu est de ceux-là ! Il est intelligent, fin, et puis il m'est reconnaissant de la confiance que je lui témoigne. Ma confiance l'aide à se racheter à ses propres yeux... Je réponds de sa fidélité.

PAULINE

Dieu t'entende, Patrice ! Dieu t'entende !

LUMUMBA

D'ailleurs il ne peut rien contre moi, tranquillise-toi, Pauline... Ils ne peuvent rien contre moi tant que Kala et moi nous serons unis, et nous sommes unis !

PAULINE

En es-tu bien sûr, Patrice ? M'est d'avis qu'il te jalouse...

LUMUMBA

Je te le répète : Jamais l'unité de vues n'a été plus complète entre Kala et moi... Il a ses défauts, sans doute, mais c'est un patriote... C'est le chef d'une ethnie puissante, une ethnie estimable, ces Bakongos ! C'est pour eux qu'est faite la maxime : « Que lorsqu'on voit le bec du coq, on voit le coq tout entier ! »

PAULINE

Est-ce que je sais, moi ? Il y a tant de gens qui s'ingénient à vous brouiller... Il est secret... rusé... En tout cas, méfie-toi ! Assis sur son trône, raide et serein comme un dieu de cuivre, ce redoutable immobile semble, pour le moment, n'avoir souci que de tenir, bien droit, son sceptre. Mais je le crois très capable, le moment venu, et sans crier gare (Oh ! de l'air le plus innocent du monde !) de vous le laisser choir sur le crâne comme une massue !

LUMUMBA

Et tu t'imagines que je vais me laisser écraser comme ça ! Et tu t'imagines que je n'ai ni moyens, ni amis ! Mais laissons cela Pauline... Passe-moi ma guitare, je me sens fatigué...

Elle lui tend l'instrument.

... Je ne sais pas pourquoi... Ce qui me vient à l'esprit est un air de tristesse... Tu connais, Pauline, cette chanson swahili ?

La lumière descend doucement, cependant qu'il chante sur la guitare.

T'appuierais-tu
même du doigt
sur un arbre qui pourrit ?
arbre pourrissant, la vie !
même du doigt
ne t'y appuie !

LUMUMBA

Ouf ! C'est fatigant, Dipenda !

Il s'assoupit, puis se réveille en sursaut.

Hein !

Dans un cauchemar, apparaît en avant-scène un groupe : un évêque, Kala et Mokutu. Kala et Mokutu mettent genoux en terre.

L'ÉVÊQUE

Mes enfants, le moment est venu de prouver votre amour de l'Église, et de mettre à la raison les ennemis de notre sainte religion. Nous vous faisons confiance ! Au nom du père et du fils et du saint-esprit, ainsi soit-il !

PAULINE

Pauvre Patrice ! Allons réveille-toi ! C'est bientôt l'heure des nouvelles !

Elle tourne le bouton de la radio et l'on entend la retransmission d'un discours de Kala-Lubu.

KALA

Mes chers compatriotes, j'ai une nouvelle extrêmement importante à vous annoncer : le premier bourgmestre, pardon, c'est le Premier ministre que je voulais dire, qui avait été nommé par le roi des Belges, selon les dispositions de la loi fondamentale provisoire, a trahi la tâche qui lui a été confiée. Il a recouru à des mesures arbitraires qui ont provoqué la discorde au sein du gouvernement et du peuple. Il a gouverné arbitrairement. Il a privé de nombreux citoyens des libertés fondamentales. Et maintenant, encore, il est en train de jeter le pays dans une guerre civile atroce. Il a introduit dans notre communauté le mal le plus affreux : le désordre, empêchant notre peuple de trouver son assise et son équilibre. Le désordre ! Telle une bête féroce, lâché dans nos villes et nos villages !
C'est pourquoi j'ai jugé nécessaire de révoquer immédiatement le gouvernement ! Je le fais en vertu des pouvoirs constitutionnels qui m'ont été conférés. J'ai nommé Premier ministre, Joseph Iléo. M. Iléo est chargé de former le nouveau gouvernement.
D'ores et déjà, je puis dire que j'ai l'appui total et indé-

fectible de notre admirable armée nationale congolaise et de son chef, le colonel Mokutu.
Je voudrais pouvoir compter pareillement sur la discipline et le patriotisme de tous les Congolais.
Dieu protège le Congo.

Scène 9

LUMUMBA

un instant prostré, se ressaisissant

Le salaud ! Mais il n'a pas fini d'entendre parler de Lumumba Patrice ! Fait ! C'est moi qui l'ai fait ! Mais vois-tu M'polo ce qui arrive est peut-être, est sans doute, une bonne chose. Le Congo de la loi fondamentale, le bicéphale Congo, l'albinos monstrueux né des fornications métisses de la Table Ronde, je ne l'ai accepté que le temps d'un compromis. Or voici que, de lui-même, le roi Kala nous indique que le temps des compromis est passé. Fort bien ! Voici donc le temps de défaire le roi Kala. D'ailleurs j'ai averti la radio : je parlerai à la nation.

M'POLO

entrant

Grand, tu as raison. Il faut frapper, mais tâche d'abord d'obtenir la neutralité de l'O.N.U.

LUMUMBA

L'O.N.U. ? Je m'en fous. D'ailleurs, l'O.N.U. est une fiction. Ce qui existe, c'est, peu importe la couleur de leurs casques, des hommes, des soldats, venus de tous

les coins d'Afrique. Et précisément, notre chance. M'polo, la radio c'est entre les mains des Ghanéens qu'elle se trouve. Un soldat de N'Krumah ne peut refuser aide et assistance à Patrice Lumumba.
Crois-moi, la partie n'est pas jouée...

Il sort.

Scène 10

Palais de la radio.

LUMUMBA

Ravi de vous voir, mon colonel. Le Ghana est un grand pays, cher à tous les cœurs vraiment africains. Et je n'oublierai jamais pour ma part que c'est au Ghana – au Ghana et par N'Krumah – que l'oiseau africain aux ailes rognées par le colonialisme secoua d'abord l'abâtardissement et, s'élançant sans crainte ni vertige au-devant du soleil, se sentit autre chose qu'un cœur de faucon niais.

GHANA

L'indépendance est une chose, la pagaye en est une autre. Nous sommes en pleine pagaye, monsieur Lumumba.

LUMUMBA

Nous en sortirons, mon colonel, et vous nous y aiderez. M'polo a dû vous transmettre mon message. Le peuple a besoin d'explications et de mots d'ordre. Je parlerai ce soir à la radio.

GHANA

Je suis averti, monsieur Lumumba. Sorry, la consigne donnée par le représentant de l'O.N.U., M. Cordelier, est formelle : toute activité politique est suspendue au Congo jusqu'à nouvel ordre : aucun homme politique ne peut avoir accès à la radio.

LUMUMBA

Ainsi donc et jusqu'à nouvel ordre, Cordelier donne ici des ordres... Passons... En tout cas, la consigne ne peut valoir pour moi : moins que le président du M.N.C. à ses partisans, c'est le Premier ministre du Congo qui entend s'adresser à la Nation congolaise.

GHANA

Monsieur Lumumba, il y a chez nous un proverbe : « L'État est un œuf. Trop serré, il se casse ; pas assez, il tombe et se brise. » Je ne sais si vous avez trop serré ou pas assez, mais c'est un fait, il n'y a plus d'État congolais.

LUMUMBA

Dois-je comprendre que vous prenez la responsabilité de m'interdire la radio de mon pays ?

GHANA

Je ne suis qu'un soldat, sir. J'exécute des ordres.

LUMUMBA

Oh oh ! Savez-vous monsieur, que votre président est mon ami ? Que le Ghana, plus qu'un pays allié, est un pays frère ? Que le gouvernement d'Accra m'a promis, total et inconditionnel, son soutien ? Je frémis de la lâcheté de votre dérobade comme de l'insolence de vos prétentions, d'autant que, je vous en avertis loyalement, je ne puis manquer d'en référer par télégramme à votre président, à mon ami, à mon frère, Kwame N'Krumah !

GHANA

Sir ! Au Congo, je ne suis pas au service du Ghana, mais de l'O.N.U. ! Soldat, sir ! Pas politicien ! Quant à mes relations avec N'Krumah, lui et moi, nous nous en expliquerons en temps et lieu, et sans votre entremise. Le Congo a déjà bien trop d'affaires sur les bras.

LUMUMBA

J'ai compris ! Soldat ? Non pas ! Ce que vous êtes, je m'en vais vous le dire : Un traître, un traître de plus ! Quelle journée ! N'Krumah m'écrit : « Frère, il faut rester plus froid qu'un concombre. » C'est vrai. Il faudrait charrier dans les veines non du sang congolais mais de l'eau, comme un concombre ghanéen, pour considérer avec calme, pis que venin et crapaud, pis que le squameux pangolin enroulé à sa branche, pis que la longue langue tremblée, cautèle du protèle torve, l'indécent grouillement de l'Afrique de la trahison !

GHANA

sortant son revolver

Chacun sait qu'en venant dans ce foutu pays, il doit s'attendre à tout, mais, man, il y a une saleté que je n'ai jamais supportée, et que je ne supporterai jamais, et dans ce Congo de merde moins encore qu'ailleurs, ce sont les insolences d'un communiste aux abois.

LUMUMBA

Tire ! Mais tire donc ! Vois, je suis froid comme concombre.

GHANA

rengainant

Tout bien pesé, no !... Les Congolais s'en chargeront bien eux-mêmes, un de ces jours.

Exit Ghana.

LE JOUEUR DE SANZA

Africains, c'est ça le drame ! Le chasseur découvre la grue couronnée en haut de l'arbre. Par bonheur la tortue a aperçu le chasseur. La grue est sauvée direz-vous ! Et de fait, la tortue avertit la grande feuille, qui doit avertir la liane, qui doit avertir l'oiseau ! Mais je t'en fous ! Chacun pour soi ! Résultat : Le chasseur tue l'oiseau ; prend la grande feuille pour envelopper l'oiseau ; coupe la liane pour envelopper la grande feuille... Ah ! J'oubliais ! Il emporte la tortue par-dessus le marché ! Africains mes frères, quand donc comprendrez-vous ?

Scène 11

Villa de Lumumba, investie par les paras de Mokutu.

LUMUMBA

Merci d'être venu, merci d'avoir pensé comme moi que j'avais droit à une explication.

MOKUTU

Je m'étonne d'avoir à expliquer l'évidence ! Guerre civile, guerre étrangère, anarchie, j'estimais que tu coûtais trop cher au Congo, Patrice !

LUMUMBA

Es-tu sincère ? Crois-tu vraiment sauver le Congo ? Et il ne te vient pas à l'esprit qu'en sapant ses institutions, en ruinant sa légalité, au moment même où le pays se constitue en État, tu lui fais courir le plus mortel danger !

MOKUTU

Il est certain que tu aurais pu, en t'en allant de toi-même, nous faciliter la tâche. Mais il y a des choses que l'on ne peut attendre d'un politicien. Alors, je t'écarte ! J'ai décidé de neutraliser le pouvoir !

LUMUMBA

Excuse-moi ! En politique, quand j'entends un de ces grands mots techniques, je me braque, et je cherche toujours quelle infamie ça cache. Concrètement, où veux-tu en venir ?

MOKUTU

Rien de plus simple. Le président de la République démet le Premier ministre. Le Premier ministre riposte en démettant le président de la République. Moi, je les démets tous les deux ! J'écarte les politiciens !

LUMUMBA

En bref, tu prends le pouvoir ! Après tout tu n'auras pas été le premier colonel à faire un coup d'État. Mais attention, Mokutu ! Le jour où n'importe quel traîneur de sabre, n'importe quel porteur de galons, n'importe quel manieur de stick se croira le droit de faire main basse sur le pouvoir, ce jour-là, c'en sera fait de la Patrie.
Un État ? Non ! Une foire d'empoigne ! Cette responsabilité, es-tu prêt à l'assumer ?

MOKUTU

Je ne permets à personne de mettre en doute mon honnêteté. Militaire je suis, militaire je resterai. Je confie le pouvoir à un collège de commissaires, jusqu'au retour de l'ordre. Par ailleurs je donne l'ordre à l'armée de stopper toute avance vers le Kasaï, et de rentrer dans ses cantonnements. Nous aurons assez de travail à Léopoldville.

LUMUMBA

Mokutu, je n'évoquerai pas notre amitié, nos luttes communes, mais...

MOKUTU

Oh ! ne me parle pas du passé ! C'est vrai ! Je t'ai aidé à sortir de prison. J'ai été à tes côtés à la Table Ronde de Bruxelles. Nuit et jour, j'ai alerté l'opinion publique en ta faveur. Cinq ans d'amitié, de camaraderie, mais à présent, nos voies divergent. Ce que j'appelle ta « neutralisation », signifie que sans sacrifier notre amitié, j'entends qu'elle n'empêche pas que j'accomplisse mon devoir de citoyen et de patriote congolais.

LUMUMBA

Tu as raison, l'heure n'est pas aux effusions sentimentales. Quant au mot neutralisation, j'en sais mieux que toi, en tout cas, j'en mesure mieux que toi le sens et la portée. Tu y penses à l'Afrique, quelquefois ? Tiens, regarde là ! pas besoin de carte épinglée au mur. Elle est gravée sur la paume de mes mains.
Ici, la Rhodésie du Nord, son cœur le Copper belt, la Ceinture de Cuivre, terre silencieuse, sauf de temps en temps, un juron de contremaître, un aboi de chien policier, le gargouillement d'un colt, c'est un nègre qu'on abat, et qui tombe sans mot dire. Regarde, à côté, la

Rhodésie du Sud, je veux dire des millions de nègres spoliés, dépossédés, parqués dans les townships.
Là, l'Angola ! principale exportation : ni le sucre ni le café, mais des esclaves ! Oui, mon colonel, des esclaves ! Deux cent mille hommes livrés chaque année aux mines de l'Afrique du Sud contre du bon argent qui tombe tout frais dans les caisses vides de papa Salazar !
Y pendant comme un haillon, cet îlot, ce rocher, San Tomé, sa petitesse bouffe du nègre que c'en est incroyable ! Par milliers ! Par millions ! C'est le bagne de l'Afrique !

Il chante.

Notre fils cadet
Ils l'ont envoyé à San Tomé
Parce qu'il n'avait pas de papiers
Aiué
Notre fils n'est pas revenu, notre fils
la mort l'a enlevé
Aiué
Ils l'ont envoyé à San Tomé.

C'est drôle, tu ne la connais pas, cette chanson ? Je te l'apprendrai Mokutu, si tu m'en donnes le temps ! Enfin, plus bas, l'Afrique du Sud, la chiourme raciste, armée de ses tanks, de ses mitrailleuses, de ses canons, de ses avions, de sa bible, de ses lois, de ses tribunaux, de sa presse, de sa haine, de ses mensonges. Plus encore de son cœur dur et féroce ! Mokutu, la voilà, notre Afrique ! Terrassée, ligotée, piétinée, couchée en joue ! Mais me diras-tu, elle espère ! Elle souffre, mais elle espère ! C'est vrai ! car du fond de l'abîme, elle voit s'embraser et rosir la surface, et qui grandit, qui grandit la tache de lumière. Elle espère, pourquoi pas ? Il y a eu le Ghana, la Guinée, le Sénégal, le Mali et j'en passe... Dahomey ! Cameroun !... Avant-hier, le Togo ! Hier, le Congo ! Alors la prisonnière Afrique se dit : « Demain, c'est mon

tour ! et demain n'est pas loin ! » Et elle serre les poings, et elle respire un peu mieux, l'Afrique ! Déjà l'air de demain ! l'air du large, sain et salé !
Mokutu, sais-tu ce que tu t'apprêtes à faire ? Le petit carré de lumière au haut de la cellule du prisonnier, tu tires là-dessus le rideau d'ombre ! Le grand oiseau arc-en-ciel, qui visite le plafond de cent cinquante millions d'hommes, le double serpent, qui de part et d'autre de l'horizon se dresse et s'obstine pour conjoindre une promesse de vie, une attestation de vie et de ciel, tu l'abats d'un seul coup de bâton et vois, sur le continent tout entier, tomber les lourds plis écailleux des maléfiques ténèbres !

MOKUTU

Je ne te suivrai pas dans ton apocalypse !
Je n'ai pas à répondre de l'Afrique, mais du Congo !
Et j'entends y faire régner l'ordre, comprends-tu ? l'ordre !

Les soldats sont entrés silencieusement et occupent toute la scène.

Acte 3

Scène 1

Thysville, camp Hardy, cellule de prison.
M'polo, Okito, Lumumba, sur d'étroites couchettes, c'est le matin : Lumumba endormi, geint et se retourne.

LE JOUEUR DE SANZA

chantant

O petit épervier, oh ! oh !
O petit épervier étends tes ailes !
Le soleil boit du sang, oh ! oh !
Petit épervier, petit épervier,
Quel sang boit le soleil !

LUMUMBA

Oh ! Oh !

OKITO

Toujours ses cauchemars !

M'POLO

Pauvre Patrice ! On dirait un insecte pris dans la glu et qui se débat !

LUMUMBA

se réveillant et se frottant les yeux

Et qui en sortira, M'polo ! et qui en sortira ! Oh ! ce rêve ! J'étais un homme assailli de toutes parts, par des oiseaux rapaces, et je me défendais avec de grands gestes fous ! C'était affreux !

OKITO

Le proverbe dit : « Nous mangeons avec le soleil, nous ne mangeons pas avec la lune ! » Je n'aime pas les rêves !

LUMUMBA

Moi, si ! même affreux ! Il s'y exprime une sagesse que trop vite oublient nos veilles !

M'POLO

Je sais ! Je sais ! les ancêtres ! Oh ! parlez-m'en ! Pour le moment, ils se montrent plutôt avares de leurs faveurs !

OKITO

Eh oui ! Ils nous ont oubliés dans la savane amère !

LUMUMBA

Courage ! Amis ! courage ! Le pays d'abord surpris se ressaisit ! Vous savez la légende : on sacrifiait Lumumba ; aussitôt les dieux apaisés jetaient sur le Congo des regards plus cléments. Oh ! tout s'arrangeait... Le Belge désarmait, Tzumbi rentrait au bercail, l'O.N.U. apportait au Congo une aide sans défaillance, et j'en passe !... Eh bien non ! je vous l'apprends, tout va de mal en pis ! Pagaye ! Gabegie ! Anarchie ! Corruption ! Humiliation ! Vous verrez, avant qu'il soit peu de temps, ils viendront nous supplier, ici, de reprendre le pouvoir !

M'POLO

A moins que pour supprimer ce recours, il ne leur vienne à l'idée de nous supprimer, nous ! Quelque chose me dit qu'ils ne s'arrêteront pas à mi-crime ! D'ailleurs au Congo, on ne s'arrête jamais à mi-chemin !

OKITO

Le Congo ! Le Congo ! Dis surtout les capitaux internationaux ! Ils sont ombrageux ! à la moindre chatouille, ils deviennent féroces ! Le buffle, quoi ! le buffle !

M'POLO

Quand le buffle défèque, ça merdoie loin !

LUMUMBA

Tout cela est vrai ; notre vie est à la merci du premier homme de main venu. Blanc ou Noir ça n'a pas d'importance. S'il est Noir, c'est qu'un Blanc lui aura armé le bras ! Ça, c'est une chose. L'autre chose, c'est qu'ils peuvent nous détruire, pas nous vaincre ! Trop tard ! Nous les avons pris de court, amis ! ils ne sont plus désormais que les attardés de l'histoire !

M'POLO

Il est certain que tu es un prophète, Patrice. Celui qui marche devant et profère. C'est là ta force et ta faiblesse !

LUMUMBA

Mi-louange, mi-critique, j'accepte le verdict de M'polo ! Surtout s'il doit vous communiquer, ma foi, ma foi inébranlable dans l'avenir !

M'POLO

Tu l'as dit ! mi-louange, mi-critique. Je me demande parfois si nous n'avons pas voulu aller trop vite.

M'polo, je ne regrette rien. Est-ce que l'architecte ne va pas du premier coup au but, affirmant la maison ? Ma fonction était, sur le ciel noir et l'horizon bouché, de dessiner d'un seul trait incantatoire la courbe et la direction. Désormais tout est sauvé. Et puis, ne sous-estimons pas nos forces, elles sont immenses, nos forces ! A nous de savoir nous en servir ! Tenez, voici deux lettres que je viens de recevoir, et qui ont échappé à la vigilance des voyous de Mokutu. L'une est de Van Laert, l'autre de Luis. Vous ne trouvez pas ça merveilleux ? Luis ! Un Espagnol ! Dites ! quel rapport avec le Congo ! Après tout, ces gens-là ont aussi leurs problèmes ! Et Van Laert ! un Belge ! Mon ami, mon frère de Bruxelles ! Tenez je suis sûr qu'en ce moment, en cet instant, il pense à moi, comme je pense à lui. Et vous, dites que parmi le saccage du destin destructeur, nous avons été, lui et moi, capables de sauver ce haut gisement fraternel ! Une amitié d'outre-sang ! Eh oui ! Ils sont des nôtres ! Car ils savent que ce qui se joue ici, ce n'est pas notre sort, ce n'est pas le sort de l'Afrique, que c'est le sort de l'homme ! de l'homme lui-même. Quant à l'Afrique, je sais que malgré sa faiblesse et ses divisions, elle ne nous manquera pas ! Après tout, limon, soleil et eau, de la solennelle rencontre, ici, naquit l'homme ! Qu'est-ce ? sinon, dissipant la buée de vivre, certaine manière de se tenir debout et de lever le front. M'polo, c'est bien, je parlerai aux soldats, ce sont des Congolais, je briserai leur cœur !

LUMUMBA

aux geôliers et aux soldats

Alors, camarades geôliers, un verre de bière ? Mais, excusez-moi, je n'ai que la Polar !

LE GEÔLIER

Vous savez, patron, Primus ou Polar, on s'en fiche ! On ne fera pas du matata pour la marque ! Il fait tellement soif !

LUMUMBA

Buvez ! amis ! buvez ! Et le pays, comment ça va ? Comment vont les affaires ?

LE GEÔLIER

Le pays ! le pays ! c'est le cas de le dire, plus ça change, plus c'est la même chose ! Les gens commencent à se demander si Dipenda n'est pas venu ici, comme un vol de sauterelles, pour gâter le pays.

LUMUMBA

Ce n'est pas comme ça que se pose le problème ! Mais passons ! Et l'armée ? Et la solde ?

LE GEÔLIER

Pour te dire le pied de cette affaire, deux mois qu'elle n'est pas payée, la solde !

LUMUMBA

Ouais ! c'est que peut-être il n'y a plus d'argent dans les caisses ! Hein ! Et Mokutu ? Et Kala et l'O.N.U. ? Qu'est-ce qu'ils foutent ?

UN SOLDAT

C'est moi qui te le demande ! Si l'argent n'est pas dans les caisses, où il est ? Dis-moi où il est ? Tu dois le savoir, toi, puisque tu as été ministre ! Après tout, tu es comme les autres, un nègre à monocle !

LUMUMBA

Doucement camarade ! doucement ! L'argent, où il est ? Je m'en vais vous le dire ! Il est au Katanga ! Oui, monsieur, au Katanga ! Dans les caisses de Tzumbi ! Et même que c'est parce que j'ai voulu aller le lui reprendre que je suis ici ! livré à la cruauté des uns, par l'ingratitude des autres !

LE SOLDAT

Ça, c'est vrai ! Je l'ai toujours dit aux copains. Beaucoup le croyaient, beaucoup pas. Et voilà ! On est bien ! Tu dis l'argent, c'est pour les gendarmes katangais ?

LUMUMBA

Les gendarmes, bien sûr ! et aussi pour Tzumbi ! et pour M'siri, et pour les Belges ! Allons, soldats ! chassez ces idées moroses ! Je vous paye une deuxième tournée !

Les soldats se versent à boire. Cependant que les verres circulent

Soldats, je vois que beaucoup d'entre vous sont des Batetelas ! J'en suis content ! Je suis moi-même un Mutetela ! Cette ethnie est celle qui livra aux Belges le dernier combat, il y a de cela soixante ans, sauvant l'honneur du Congo tout entier ! Si bien que, moi-même, soutenant l'algarade, et livrant un combat, peut-être le dernier, pour empêcher que le pays ne tombe sous le joug d'un nouveau colonialisme, je remplis, si je puis dire, mon office mutetela !
Soldats des autres ethnies, je ne vous fais pas moindre part de ma confiance ; je sais que l'armée dans son ensemble m'est fidèle, comme à son chef légitime, et Mokutu n'a pu réussir son mauvais coup qu'en soudoyant non pas l'armée, mais un bataillon de paras gavés grassement et traités prétoriennement à l'hôtel Memling,

partie grâce aux pourboires américains, partie et surtout, grâce aux fonds qui devaient servir à vous payer vos soldes ! Mais vous soldats, vous n'êtes pas du Memling. Je sais bien de quoi vous êtes, vous êtes de la brimade et de la corvée, vous êtes de l'avenir bouché, vous êtes de la solde de famine, de la solde non payée ! Et c'est de votre maigreur que ces messieurs sont gras ! Hélas, oui ! quand j'ai nommé les premiers officiers noirs, le premier général, le premier colonel noir, je ne pensais pas que plus vite que ne pousse la lave du volcan, une caste serait née, de chiens voraces et insatiables, la caste des colonels et des nouveaux messieurs, et c'est cette caste qui a confisqué à son profit, à son seul profit, les avantages que vous étiez en droit d'attendre de notre révolution congolaise !

UN SOLDAT

Nous en avons marre de Mokutu ! Fous le camp d'ici ! On veut voir si avec toi, on remplira nos ventres !

DEUXIÈME SOLDAT

Vive Lumumba ! Celui-ci, quand il parle, c'est la grue couronnée qui passe.

SOLDATS

A bas Mokutu ! A bas Mokutu !

UN SOLDAT

Celui-là, si je le tiens, je le châtre !

LUMUMBA

Je respecte vos opinions, et je ne veux vous influencer en quoi que ce soit ! Mais il importe que tous et chacun, vous ayez le sentiment de la gravité de la situation. Si j'étais veilleur de nuit, et que l'on me demandât où en est l'heure, je répondrais que deux mois après son indépendance, nous en sommes à l'heure où le Congo est une chèvre entre les dents du fauve ! Soldats ! Moi, Lumumba si je m'agrippe et si je m'arc-boute, c'est pour arracher le Congo à la dent et au croc ! Ne m'aiderez-vous pas ?

LES SOLDATS

criant

Tu peux compter sur nous ! Tu es notre chef ! Châtrons Mokutu !

Les soldats ouvrent les portes de la prison et portent Lumumba en triomphe.

Scène 2

Bar africain, hommes et femmes, même atmosphère qu'à la scène 1 de l'Acte 1, une femme chante une mélopée.

LA FEMME

Qui a vu mon mari ?
Nul n'a vu mon mari,
Il est entré dans mon cœur
du bambou une écharde.

Brusquement la porte s'ouvre.
Entrent Lumumba, M'polo et Okito.

MAMA MAKOSI

Patrice ! Toi ici !

LUMUMBA

Comme tu le vois !

MAMA MAKOSI

J'étais sûre que tu te sortirais de là !

LUMUMBA

C'est bien, la mère, de n'en avoir jamais douté ! Il y en a tant qui ne donnaient pas cher de la peau de Lumumba ! Eh oui ! Libre ! Libéré par nos braves soldats congolais ! Avertis ma femme, mes enfants, qu'ils viennent ! Je vais faire d'ici mon quartier général.

MAMA MAKOSI

Tu as raison, ils t'ont trahi, tous ! Kala ! Mokutu ! ton copain Mokutu, je le vois encore celui-là, avec ses manières de petite fille vicieuse ! Ici, tu es tranquille, la maison t'appartient, et le peuple te protège.

LUMUMBA

Excusez-moi d'avance, mais je risque de bouleverser un peu vos habitudes !

MAMA MAKOSI

Au lieu de t'excuser, raconte, Patrice. Raconte ce qu'ils t'ont fait ces maudits !

LES FEMMES

Oh ! oui, raconte !

LE JOUEUR DE SANZA

Les gars, je m'en vais vous en chanter une qui vous donnera du courage : comment Gabouloukou, l'antilope naine, joua les animaux qui la poursuivaient.

Il chante

Gabouloukou, l'antilope naine
Aux animaux qui la poursuivent

tendait la patte hors du terrier.
« La belle racine que vous tenez là ! »
ricane Gabouloukou !
Sacrée Gabouloukou !
Les animaux lâchant la patte
parmi les racines
au loin s'en furent fouiner.
Vive Gabouloukou !

LUMUMBA

Merci, brave chanteur ! De dix coches, tu eusses, s'il en était besoin, remonté mon courage et gonflé ma force à défier tout entier le monde ! Au fait, raconter quoi ? des détails ? Pourquoi des détails ! J'ai à vous raconter mieux ! J'ai à vous raconter l'Afrique ! Aïe ! Afrique ! les yeux, le dos, le flanc ! Europe, tes serres ! Amérique, ton bec ! Asie ! Asie ! Ah ! ce pourchas de fiente et de rostres ! L'Afrique est comme un homme qui, dans le demi-jour se lève, et se découvre assailli des quatre points de l'horizon !
Je vois l'Afrique assaillie de toutes parts d'oiseaux rapaces, elle ne s'est pas plus tôt garée de l'un, que l'autre est sur lui, de son bec ruisselant. Autre chose, le Congo ! C'est un peu notre danse mukongo des douze masques. Nous avions richesse, beauté, assurance, des médecines puissantes, et puis, la jalousie survient, et puis l'Esprit du mal qui saccagea tout de ses puissants dawas, flétrissant les joues de nos vierges, terrassant nos guerriers, apportant corruption et dissension ! Oh ! c'était horrible ! A la fin, Dieu merci, l'Esprit du mal est à son tour vaincu, et nous enchaînons parmi nous Prospérité ! Vous entendez, vous tous ? Nous ramenons au pays, et nous saurons la garder, Prospérité ! Mama Makosi, je veux que tout le monde boive au retour parmi nous, de Prospérité ! A l'installation parmi nous de Prospérité ! Mais ne soyons

pas égoïstes ! je veux aussi porter la bonne nouvelle à nos amis étrangers, au monde entier ! Convoquez les journalistes !

LE JOUEUR DE SANZA

Tu as invité les journalistes, qu'ils viennent, on veut bien, mais il faut qu'ils sachent que tu es notre roi ! notre roi légitime ! Revêts la peau de léopard !

LA FOULE

Oui ! Oui ! la peau de léopard !

LUMUMBA

Amis, dispensez-m'en ! Un jour dans la brousse j'ai rencontré mon âme sauvage : elle avait forme d'oiseau ! Et mieux que d'une peau de léopard, c'est, élan et empan, d'un oiseau que tu ferais mon signe ! L'œil, le bec ! Pour entrer aux temps neufs, de l'ibis la rémige mordorée !

LE JOUEUR DE SANZA

Tu as raison ! Chefs et rois, ils nous ont tous trahis ! tu vaux mieux qu'eux ! Tu es notre guide inspiré, notre messie ! Rendons gloire à Dieu, mes enfants, Simon Kimbangu est de nouveau parmi nous !

LA FOULE

chante

Nous sommes les enfants orphelins
Nuit noire, âpre est le chemin,
Dieu puissant, où trouver le soutien ?
Père Congo, qui nous tendra la main ?

LE JOUEUR DE SANZA

tend à Lumumba une sorte d'étole que Lumumba repousse de la main.

LUMUMBA

Et que fais-je d'autre, sinon de vous tendre la main ? De toutes mes forces ! Au-delà de mes forces ! Mais pas plus que je n'ai revêtu la peau de léopard je ne revêtirai l'étole ! Dussé-je vous décevoir, je ne suis pas Simon Kimbangu. Celui-là voulut vous rendre la force, notre n'golo congolais, et pour cela il mérite que de lui, vous fassiez mémoire. Celui-là voulut aller à Dieu tout seul ! réclamer à Dieu tout seul, comme votre ambassadeur, et il mérite que de cela, vous lui fassiez gloire ! Mais ce n'est pas seulement Dieu, que les Blancs ont confisqué à leur profit, et ce n'est pas seulement Dieu, que les Blancs ont thésaurisé ! Et ce n'est pas seulement de Dieu que l'Afrique est frustrée, c'est d'elle, d'elle-même, que l'Afrique est volée ! C'est d'elle, d'elle-même, que l'Afrique a faim ! C'est pourquoi je ne me veux ni messie ni mahdi. Je n'ai pour arme que ma parole, je parle, et j'éveille, je ne suis pas un redresseur de torts, pas un faiseur de miracles, je suis un redresseur de vie, je parle, et je rends l'Afrique à elle-même ! Je parle, et je rends l'Afrique au monde ! Je parle, et, attaquant à leur base, oppression et servitude, je rends possible, pour la première fois possible, la fraternité !

Flottement dans l'assistance.
Entre Pauline Lumumba ; ils s'étreignent.

PAULINE

Mon Dieu ! que je suis heureuse ! j'ai eu tant peur ! Ce sont des brutes, tu sais ? On peut tout craindre d'eux ! Enfin, tu es là, sauvé ! libéré ! mais il faut partir, tu n'es pas en sûreté ici à Léo. J'ai tout préparé. A Stanleyville, tes partisans t'attendent.

LUMUMBA

Stanleyville ? Moi, qui combats la sécession, puis-je, pour me mettre à l'abri des coups de mes ennemis, organiser, à mon tour, une sécession ! Je ne veux ni fuir, ni déserter. D'ailleurs, nous n'avons ici rien à craindre ! Mes ennemis ont compris la leçon, et que sans moi, le Congo est une machine faussée.

PAULINE

Tu as toujours été têtu, intraitable, une tête de fer, une vraie tête de fer ! Mais est-ce que seulement il se soucie de moi ! Je te parle, Patrice ! Et tes yeux regardent par-dessus moi.

LUMUMBA

Dessus, dessous, je ne sais. Les deux, sans doute ! Au-dessus, je regarde l'Afrique. et au-dedans, mêlé à un sourd timbre de gong de mon sang, le Congo.

PAULINE

Rends-moi cette justice, je ne t'ai jamais détourné de ton devoir, mais tu n'as pas charge que d'Afrique ! tu n'as pas charge que de l'heur ou du malheur d'Afrique ! Te souviens-tu seulement de ce jour, Patrice ? Père versa le malafu, tu pris le verre, en bus une gorgée, tu me le tendis, je bus une gorgée, et nous bûmes conjointement, gorgée après gorgée. Je n'ai pas nom de pays ni de fleuve ! Mais nom de femme ! Pauline ! C'est tout ! Je n'ajouterai rien que ceci : Veux-tu qu'on me voie un jour, la tête rasée, à suivre un cortège funéraire ? Et les enfants, en feras-tu des orphelins ?

LUMUMBA

Tant pis, je t'ai toujours appelée en moi-même, Pauline Congo ! Si bien que je n'ai jamais soufflé une pensée de pierre rougie sur le chanvre de ton nom double, sans que tu ne m'aies doublement aidé à dominer une faiblesse, et sur la plus mince crête, on me verra prêt à défier tout entier le monde, si, Pauline, je sais pouvoir compter sur toi. Si je disparais, je laisse aux enfants une grande lutte en héritage, tu les aideras, les guideras, les armeras ! Mais non ! je la continuerai encore, la lutte ! Moi-même, et longtemps ! et la mènerai à bien ! Et messieurs les colonialistes ne sont pas près de m'avoir ! Excuse-moi, Pauline, va à Brazza, tâche de voir Luis, mets-le au courant des événements, j'ai à parler aux journalistes.

Pauline Lumumba se retire lentement, et chante.

PAULINE

Hélas ! Hélas ! qui a vu mon mari ?
Nul n'a vu mon mari, il est entré dans mon cœur
du bambou une écharde.

Entrent les journalistes.

LUMUMBA

Installez-vous, messieurs, comme vous pouvez. Excusez le lieu, ça n'a pas d'importance, ou plutôt ça en a une, extrême ! Lieu populaire, humble lieu, il y bat du moins, à sa manière, le cœur du Congo, c'est-à-dire bien plus fort et franc que dans tous les palais présidentiels ou ministériels. Je vous ai convoqués ici, pour vous annoncer, et pour que vous annonciez au monde, que le Congo continue. Je reprends effectivement la direction des affaires, dont seul, un acte arbitraire, un coup d'État puéril a pu m'éloigner. Ma politique, la politique de mon gouvernement, le seul gouvernement légal de ce pays, visera à restaurer partout dans le pays et dans tous les domaines, l'autorité de l'État, à maintenir et à renforcer partout et dans tout le pays, l'unité du Congo. Mais elle ne sera pas, pour autant une politique de vindicte ! Je vise bien plutôt à clore l'ère de nos guerres civiles et à construire en dignité et décence, notre République. Sur le plan international, je compte sur vous, messieurs, pour que vous rassuriez l'opinion mondiale. Mon gouvernement, fidèle au principe de la neutralité positive, aura pour souci majeur d'établir ou de maintenir d'amicales relations avec tous les pays étrangers. Mais aussi, il faut bien que l'on comprenne que le Congo est un pays indépendant, qui veut rester indépendant, pleinement indépendant et souverain, et que l'on cesse un peu partout de voir en nous cette figue d'avant-saison dont parle le prophète, qui l'aperçoit, la cueille, et sitôt prise, sitôt gobée !

UN JOURNALISTE

Monsieur Lumumba, nous avons l'impression d'écouter le discours d'investiture d'un Premier ministre ! mais les événements qui se déroulent autour de nous, nous obligent à vous demander si ces propos correspondent bien à une appréciation juste et réaliste de votre part de votre situation personnelle, de votre situation actuelle, dans la politique du Congo.

LUMUMBA

Je vous remercie de vous soucier à ce point de ma situation personnelle, je vous rassure tout de suite, je suis le Premier ministre de la République du Congo, investi de la confiance populaire, investi de la confiance du Parlement, qui me l'a récemment renouvelée par un vote sans équivoque, et si je suis libre aujourd'hui, à l'abri des entreprises de mes ennemis, c'est grâce à l'action efficace du peuple congolais. C'est donc en toute légitimité et de plein droit que je parle au nom du Congo ! Vous avez, messieurs les journalistes, un noble métier, celui de renseigner et d'informer. C'est ce que je vous demande de faire, de manière probe et honnête !

Remue-ménage, panique, des femmes surgissent et se précipitent.

MAMA MAKOSI

Patrice ! les paras ! les paras ! ils ont investi la maison !

M'POLO

Patrice, n'aie pas peur ! Nos gars sont prêts ! Le quartier est avec nous ! Les voyous de Mokutu trouveront à qui parler !

LUMUMBA

M'polo, ça suffit, je ne veux pas que le sang congolais coule.

M'POLO

On ne va tout de même pas se laisser faire comme des rats !

LUMUMBA

Je ne suis pas un homme religieux, mais j'ai fait mienne la parole : « Tel l'eunuque qui voudrait déflorer une jeune fille, tel celui qui prétend rendre la justice par la violence ! »

M'POLO

Vous dites non-violence, autant dire suicide !

LUMUMBA

Précisément, M'polo ! Si je dois mourir, que ce soit comme Gandhi. Allons ! fais entrer tout ce monde ! Je leur donne audience !

Entrent Kala, Mokutu, et un groupe de paras.

MOKUTU

aux policiers

Faites sortir tout le monde.

aux journalistes

Excusez-moi, messieurs, la représentation est terminée, la séance de travail commence ! Nous nous reverrons en temps et lieu ! Au revoir !

La salle se vide.

KALA

à Lumumba

Ma démarche auprès de vous paraîtrait insolite de la part d'un homme moins décidé que moi à faire passer la sauvegarde du pays avant toute autre considération. J'aimerais vous trouver dans les mêmes dispositions !

LUMUMBA

Je n'ai jamais servi d'autres intérêts que ceux du Congo ! Je vous écoute.

KALA

Les affaires de l'État, ne peuvent supporter plus longtemps la vacance du pouvoir !

LUMUMBA

Je suis heureux de vous l'entendre dire ! Je suis Premier ministre, je suis *le* Premier ministre, je n'ai pas été renversé par le Parlement, en sorte qu'il n'y a pas de crise gouvernementale congolaise ! Il n'y a de crise que, et du fait de certains, de la légalité congolaise !

KALA

Patrice ! Vous ne comprenez donc pas ! Il n'est au pouvoir de personne de faire que ce qui s'est passé ne se soit pas passé ! Soyez, pour une fois, réaliste ! Iléo est l'homme de la situation. Il est calme, rassurant ; une fois qu'il aura éteint les brasiers allumés un peu partout, sur toute l'étendue du territoire, on verra... Je ne vous demande qu'un peu de patience, un peu de patience, voyons ! C'est doucement que la banane mûrit. Et doucement qu'il va au marigot, le ver de terre.

LUMUMBA

Je hais le temps ! Je déteste vos « doucement » ! Et puis, rassurer ! Pourquoi rassurer ! Je préférerais plutôt un homme qui inquiétât, un inquiéteur ! un homme qui rendît le peuple inquiet, comme je le suis moi-même, de l'avenir que nous préparent les mauvais bergers !

KALA

Acceptez-vous ou non, d'entrer dans le gouvernement ? Je laisse à votre diligence le choix du portefeuille. Vice-président, ministre d'État, ministre technique, choisissez ! Je crois être en droit d'exiger de vous une réponse précise !

LUMUMBA

désinvolte

Tiens, à propos, comment va l'abbé Yulu ? Oui, Fulbert ? On m'a dit qu'il s'était commandé à Paris une nouvelle soutane ! Une soutane de nylon !

KALA

offusqué

Le moment me paraît mal choisi pour vos espiègleries ! Sérieusement Patrice ?

LUMUMBA

Remarquez que ce que j'en dis n'est pas pour le blâmer ! Au contraire ! ça doit faire moins de lessive à ses femmes ! Mais ne vous fâchez pas ! Sérieusement, président, et pour tout vous dire d'un mot, je ne veux pas être votre Oppengault !

KALA

Comment ? Ton intransigeance te perdra !

LUMUMBA

L'Afrique a besoin de mon intransigeance ! Surtout quand tant d'autres transigent sur son dos ! Pour répondre à votre très précise question, je ne veux pas, par ma présence, cautionner une politique que je désavoue, et encore moins patronner une équipe formée d'un ramas de corrompus et de traîtres.

KALA

Savez-vous ce que je suis venu vous apporter ici ? Le savez-vous ? Malheureux ! Je vous apporte la vie ! la vie sauve ! Ne tentez pas le destin !

LUMUMBA

Savez-vous ce que vous êtes venu me demander ici ?

KALA

Vous demander ? Êtes-vous si sûr d'être en état de donner ?

LUMUMBA

Si je ne l'étais pas, vous ne m'honoreriez pas de cette visite. Vous êtes venu ici chercher une consécration, celle d'une légitimité. Eh bien au nom du Congo, je vous la refuse !

MOKUTU

Président, n'insistez pas, vous voyez bien que vous avez affaire à un forcené ! Comptez sur moi, pour lui rabattre la crête !

KALA

Patrice, c'est vous qui l'aurez voulu ! Adieu ! Faites, Mokutu, faites !

MOKUTU

à Lumumba

Tant pis pour vous, monsieur Lumumba, c'est votre pluie, vous l'avez commandée, elle vous mouillera jusqu'au bout ! Soldats ! emparez-vous du prisonnier !

Scène 3

Nous sommes à Élisabethville, au siège du gouvernement katangais, le C.S.K.
Ce qui domine chez les dirigeants katangais, c'est l'hypocrisie et une certaine onction ecclésiastique, sauf chez M'siri qui est un fauve.
Il n'est pas interdit de penser supplémentairement que Zimbwé et Travélé, celui-ci surtout, sont quelque peu éméchés, d'autant que pendant toute cette scène, whisky et champagne circulent généreusement.

MOKUTU

Il y a des ambassades plus agréables que la mienne, je suis venu ici pour me plaindre au nom de Léopoldville de ce que nous ne pouvons pas ne pas considérer, comme une violation de nos accords. Vous aviez posé vos conditions, elles étaient raisonnables, nous y avons souscrit, et nous avons exécuté toutes les clauses de notre petit traité. Or, non seulement le Katanga ne renonce pas à la sécession, mais il donne au monde entier, l'impression qu'il entend désormais s'installer définitivement dans l'indépendance !

TZUMBI

Permettez... Permettez... Un accord ! le mot est gros, il n'y a pas eu d'accord ! à proprement parler ! A moins que vous n'appeliez de ce vocable de libres conversations entre bons camarades.

ZIMBWÉ

Te, te, te ! Des mots ! Je ne veux pas pour ma part discuter sur des mots. Accord, traité, conversation, peu importe. Dans tout cela, l'important à mon sens est de savoir distinguer l'esprit de la lettre, car c'est la lettre qui tue...

TRAVÉLÉ

J'allais le dire, et c'est l'esprit qui sauve !

Il rit idiotement.

TZUMBI

Zimbwé et Travélé ont raison, l'esprit de nos conversations était que l'élimination de Lumumba était un préalable indispensable à la réunification du Congo !...

MOKUTU

Ma parole ! Voilà qui est fait ! Et proprement fait !

M'SIRI

Êtes-vous un enfant ? Et faut-il vous le dire brutalement ? Un serpent comme celui-là ne meurt pas d'un seul coup de bâton. L'hypothèque Lumumba pèse encore sur le Congo !

TZUMBI

Excusez notre bon ami M'siri, il est franc et brutal, mais c'est le meilleur des hommes ! Et un homme de bon conseil ! C'est vrai, nous n'aimons pas beaucoup Léopoldville ! Il y a l'O.N.U., le peuple, les soldats... C'est une ville agitée, bruyante, changeante. Sans vous faire de reproches, vous y menez une de ces vies de bâtons de chaise !... A propos, comment va Sissoko ? Sacré Martin ! Celui-là, je l'admire beaucoup ! Je l'appelle le « râle noir ».

MOKUTU

Le râle ? Je ne vois pas le rapport.

TZUMBI

... Cet oiseau qui court sur l'eau sans se mouiller les pattes ; passe d'un nénuphar à l'autre sans enfoncer ; qui, d'un coup de bec, vous relève la feuille pour avaler le ver ou le poisson qui est dessous, ce n'est pas Sissoko, non ?

On rit.

Mais parlons sérieusement... Nous pensons que Lumumba serait mieux au Katanga ! Bien mieux au Katanga !

MOKUTU

Mon Dieu ! et qui refuserait de se débarrasser en d'autres mains d'un prisonnier gênant ! Mais il ne faut pas se dissimuler que le transfert du prisonnier au Katanga nous poserait de délicats problèmes, aussi bien sur le plan intérieur que sur le plan international ! Le peuple est très attaché à Lumumba, et l'opinion mondiale l'est de son côté, de manière quasi fétichiste, au respect de certaines formes démocratiques, lesquelles, en la circonstance, il ne faut pas se le dissimuler, devraient inéluctablement être violées.

ZIMBWÉ

Te te te ! La démocratie ! le voilà le grand mot de ces messieurs de Léopoldville. Eh bien mon cher collègue, nous aussi, nous sommes des démocrates au Katanga, mais, pour nous, la démocratie c'est tout ce qui est conforme aux intérêts du peuple ! Le tout est de savoir si le transfert rentre dans la catégorie des actes dont on peut dire qu'ils servent le peuple de ce pays !

TRAVÉLÉ

riant

Je le disais à l'instant, c'est l'esprit qui sauve, c'est l'esprit !

M'SIRI

Vous avez évoqué tout à l'heure, un problème intérieur, il ne peut faire de difficultés que si vous le voulez bien ! Le peuple ! le peuple ! Monsieur, le peuple s'incline toujours devant la force ! Si vous savez commander, la canaille se couche ! Savez-vous commander ? Et saurez-vous enfin être des chefs ? C'est là tout le problème !

MOKUTU

Mais non ! Mais non ! Vous savez bien que ce n'est pas ça le problème. Le problème est que je l'ai *neutralisé*, et que vous, vous voulez le *liquider*. Pourquoi s'acharner sur un homme qui est hors d'état de nuire ?

M'SIRI

Tant qu'il respire, il nuit !

MOKUTU

Attention ! Mort, il sera plus redoutable encore. Dans votre esprit, c'est un démon. Mort, ce sera un dieu !

M'SIRI

Je vois qu'il est inutile de discuter. Faiblards et hypocrites, voilà ce que vous êtes à Léopoldville. On veut bien la chose ! Mais on ne veut se salir les mains. Eh bien tant pis ! Le Katanga se dévouera. Nous le ferons pour le Congo, et pour le bien de l'humanité. Le Katanga a l'habitude de prendre ses responsabilités.

MOKUTU

Adieu ! je m'en lave les mains !

ZIMBWÉ

... Dommage ! C'est vraiment dommage ! Nous avions souhaité que le chemin de notre rencontre fût beau et sans palabres. Mais Dieu n'a pas voulu qu'il en soit ainsi. Mais ça ne fait rien. On n'est pas brouillé pour cela... Tenez, on va vous chanter quelque chose ! Allons enfants ! C'est moi l'auteur.

Un groupe chante l'hymne du Katanga.

Allons, allons, marchons, Katangais valeureux
Le soleil est levé sur le sol des aïeux
Vieille terre ancestrale
Du ciel aux profondeurs
Tu revis, opulente, à l'appel du bonheur.

Refrain

Enfants du Katanga *(bis)*
Défendez-vous jusqu'à la mort
Rendez-le fier. Rendez-le fort
Avec vos bras et votre sang
Avec vos dents.

Scène 4[1]

New York, palais de l'O.N.U.

HAMMARSKJÖLD

Vous savez la nouvelle ? Je viens d'en recevoir le télégramme. Ils ont transféré Lumumba au Katanga et nous avons tout lieu de craindre pour sa vie... c'est épouvantable !

MATTHEW CORDELIER

Effectivement... Étant donné les mœurs de ce charmant pays, la question Lumumba me paraît réglée à tout jamais.

HAMMARSKJÖLD

Ça n'a pas l'air de vous émouvoir plus que ça !

CORDELIER

Monsieur Lumumba n'étant pas spécialement de mes amis, je ne puis apprécier l'événement que professionnellement ; je veux dire en fonction de la simplification décisive qu'il apporte à la situation politique du Congo.

HAMMARSKJÖLD

Cordelier, soyez franc : vous le haïssiez ! C'est ça ! dites-le, au lieu de vous embarrasser de circonlocutions diplomatiques. Vous, des hommes neutres ? J'aurais dû m'en apercevoir ! Vous n'avez cessé de comploter contre lui !

CORDELIER

L'O.N.U. est une organisation, non, un organisme qui supporte très mal ce corps étranger qui s'appelle la sentimentalité.

1. Cette scène peut être omise à la représentation.

HAMMARSKJÖLD

Les faits sont là et ils vous accablent : C'est vous qui lui avez interdit l'accès à la radio, l'empêchant de se défendre, quand ses adversaires avaient toute licence de répandre sur les ondes leur propagande haineuse. C'est vous qui, sous couleur de réserver l'aérodrome de Léopoldville aux seuls avions de l'O.N.U. l'avez coupé du monde extérieur cependant que toutes les heures un avion belge atterrissait au Katanga... En somme nous lui tenions les bras, quand les autres le frappaient ! Du beau travail !

CORDELIER

La pitié vous égare ! On croirait entendre le délégué soviétique de l'O.N.U. !

HAMMARSKJÖLD

Eh bien, le terrible est de penser que vous lui donnez raison, à Zorine ! Vous m'avez trompé ! Tous, trompé ! Et dire que j'ai couvert vos actes odieux !

CORDELIER

Monsieur le Secrétaire général, permettez que je me défende !

HAMMARSKJÖLD

Non ! Vous n'allez quand même pas croire que je dirai comme Jim devant Doramin : « Je prends tout sur ma tête » et que je me tairai ? Oh ! je ne me suis que trop tu ! Dites-moi, Cordelier, que pensez-vous de Jésus-Christ ?

CORDELIER

Vous me surprenez ! Je suis chrétien... Méthodiste... et vous le savez !

Et qu'est-ce que ça me fait que vous soyez méthodiste et chrétien ? Il est loisible à n'importe qui, je dis bien à n'importe qui, de se frapper la poitrine et de s'écrier « Je suis chrétien »... Ce que je vous demande, ce n'est pas ce que pense du Christ le Matthew Cordelier que j'ai là devant moi (la belle affaire !), mais de quel côté vous auriez été, vous Cordelier Matthew, il y a mille neuf cent soixante et une années, lorsqu'on arrêta et mit à mort, en Judée, sous l'occupation romaine, un de vos contemporains, un certain Jésus ? Allons ! Retirez-vous ! Assassin du Christ !

Scène 5

Lumière. Dans un camp d'entraînement au Katanga. Un mercenaire ; devant lui un mannequin représentant un nègre sur lequel tout à l'heure il fera des cartons. En attendant il nettoie son arme en chantonnant.

LE MERCENAIRE

chantant

Au nord, au sud
au désert, sous les tropiques,
brousse ou jungle
ou marais des deltas
pluie, fièvre ou moustiques
peau que le soleil tanna
nouveau chevalier
sens ton cœur se gonfler
c'est pour le droit et la liberté !

Il se met en position de tir devant le mannequin.

Salaud ! Macaque ! Sauvage ! Sorcier ! Ingrat ! Violeur de religieuses ! Pan et pan et pan !

Il tire.

Oh ! Oh ! cette race satanique a la vie dure ! Regardez-le avec ses gros yeux blancs et sa grosse gueule rouge ! Pan et pan et pan ! Attrape ça !

Il tire.

J'en ai vu ! Morts, ils continuaient à avancer sur vous ! Il fallait les re-tuer dix fois ! On dit que leurs sorciers leur promettent de changer nos balles en eau ! Pan et pan et pan !

Il tire, le mannequin dégringole.

Je doute que celle-là ait été changée en eau !

Il rit.

Oui, mais moi, je suis en eau ! Ouf ! Il fait chaud ! Chaud et soif ! foutu pays !

Il s'essuie le front et se verse une rasade, il chantonne.

Y en a qui font la mauvaise tête
A leurs parents
Qui font des dettes, qui font la bête,
inutilement
Qui, un beau soir, de leur maîtresse
Ont plein le dos,
Ils fichent le camp, pleins de tristesse
Pour le Congo !

Le noir s'est installé.
Quand la lumière revient, le mercenaire blanc tient encore en main son revolver fumant, mais par terre,

le mannequin est remplacé par deux cadavres, Okito et M'polo. Entrent M'siri et un mercenaire, poussant Lumumba. Brusquement, M'siri se précipite sur Lumumba, qu'il frappe au visage.

Scène 6

M'SIRI

Tu as vu comme ils ont craché les balles tes copains ? A nous deux maintenant !

Le mercenaire tente d'intervenir.
M'siri, lui arrachant sa baïonnette.

Non ! J'ai un compte personnel à régler avec ce monsieur !

S'adressant à Lumumba.

A nous deux ! Alors, c'est vrai ce que l'on raconte que tu te crois invulnérable !

Il lui appuie l'arme sur la poitrine.

Tu répondras quand on te parle !

LUMUMBA

C'est bien M'siri ! J'attendais cette confrontation ! Elle était nécessaire ! Nous sommes deux forces ! les deux forces ! Tu es l'invention du passé, et je suis un inventeur du futur !

M'SIRI

Il paraît qu'au Kasaï, vous avez de puissants sortilèges. Peau de zunzi ou autre chose, c'est le moment de les mettre à l'épreuve !

LUMUMBA

M'siri, c'est une idée invulnérable que j'incarne, en effet ! Invincible, comme l'espérance d'un peuple, comme le feu de brousse en brousse, comme le pollen de vent en vent, comme la racine dans l'aveugle terreau.

M'SIRI

Et ça, et ça ! tu ne le sens pas ? inexorable ! tu ne le sens pas à travers le terreau de ta couenne, s'enfoncer vers ton cœur !

LUMUMBA

Méfie-toi, il y a dans ma poitrine un dur noyau, le silex contre quoi s'ébréchera ta lame ! C'est l'honneur de l'Afrique !

M'SIRI

ricanant

L'Afrique ! Elle se fout de toi l'Afrique ! elle ne peut rien pour toi, l'Afrique ! Me sens-tu homme à boire ton sang et à manger ton cœur !

LUMUMBA

J'ai toute la nuit entendu pleurer, rire, gémir et gronder... c'était l'hyène !

M'SIRI

Il crâne ! Mais tu ne crois pas si bien dire ! Tu ne la vois pas la mort qui te plante les yeux dans les yeux ! Tu vis ta mort, et tu ne la sens pas !

LUMUMBA

Je meurs ma vie, et cela me suffit.

M'SIRI

Tiens !

Il enfonce la lame.

Alors, prophète, qu'est-ce que tu vois ?

LUMUMBA

Je serai du champ ; je serai du pacage
Je serai avec le pêcheur Wagenia
Je serai avec le bouvier du Kivu
Je serai sur le mont, je serai dans le ravin.

M'SIRI

Finissons-en.

Il appuie.

LUMUMBA

Oh ! cette rosée sur l'Afrique ! Je regarde, je vois, camarades, l'arbre flamboyant, des pygmées, de la hache, s'affairent autour du tronc précaire, mais la tête qui grandit, cite au ciel qui chavire, le rudiment d'écume d'une aurore.

M'SIRI

Salaud !

Lumumba tombe.
Au mercenaire

Chien, achève-le.

Coup de feu, le mercenaire donne le coup de grâce à Lumumba.
Noir.
Lorsque la lumière revient, on découvre au fond un

groupe littéralement statufié : les banquiers, Kala, Tzumbi, Mokutu. Un peu à part Hammarskjöld. Pauline Lumumba entre.

HAUT-PARLEUR

Une cage, quatre nuages, Lycaon Lycaon aux yeux d'escarboucles !
C'est l'alphabet de la peur
décliné sous le vol des charognards
au ras du sol la trahison broute son ombre,
plus haut l'infléchissement chauve-souris
du vol des prémonitions.
Plus bas, sur le sable blanc noir que fabrique
inlassée, une paresse, le naufrage renouvelle
ses petits gestes d'invite amoureuse
à la très belle copulation des astres et du désastre.
Reviens, mon âme, reviens !
Pourquoi s'attarde-t-il dans le bois,
Sur la colline, dans le ravin ?

Avec de petits ricanements, s'avance le joueur de sanza, habillé en sorcier congolais. Jupette de paille, clochettes aux poignets et aux chevilles. Il traverse la scène en chantonnant.

LE JOUEUR DE SANZA

Eh toi, Nzambi, sot que tu es !
Tu nous manges le dos, les fesses
Eh Nzambi, sot que tu es !
Tu nous manges le cœur, le foie !
Eh ! Nzambi, mange avec mesure !

Au moment de disparaître, il revient sur ses pas et face au public, fait tournoyer son mpiya en plumes de coq : le plumeau divinatoire :

LE JOUEUR DE SANZA

Femmes ! du chant ! Hommes donnez-m'en
du chant !
Dans le sable de l'erreur je gratte !
Ergot, je gratte ! Jusqu'au vrai je gratte !
Ergot gratteur
Moi le nganga
le coq divinatoire !

HAMMARSKJÖLD

Congo !
La cohérence des choses évanouie.
Atteint, à travers la matrice de l'original péché,
le noir foyer de nous-mêmes,
l'horrible feu inclus d'où rayonne le Mal !
Oh ! que le juste devienne l'injuste ;
Que l'honnêteté n'ait pu servir d'engin qu'à accabler l'honnêteté,
Mon Dieu ! pourquoi m'avoir choisi
pour présider à la démoniaque alchimie ?
Mais ta volonté soit faite ! la tienne, non la mienne
J'attends l'ordre ! J'entends l'ordre
Il n'y a que le premier pas qui coûte

Il fait un pas.

Il n'y a que le dernier pas qui compte.

Il sort.

LE BANQUIER

Pour ma part, je ne vois guère là matière à spéculation politique. C'est un épisode disons folklorique, quelque chose comme une manifestation de la résurgence de cette mentalité Bantoue, laquelle périodiquement vient faire craquer chez les meilleurs d'entre eux, le trop frêle vernis de la civilisation.

En tout cas, et c'est là l'essentiel, vous avez pu constater de visu, que nous n'y sommes pour rien ! Je dis pour rien !

Il s'en va très digne.

TZUMBI

s'avançant

Ah ! non ! Ah non ! Vous allez voir ! On va tout me mettre sur le dos. Je vous le dis comme je le pense ! Ce crime, c'est une conspiration contre ma personne.

Il sort.

KALA

Vous voyez : Personne au Congo ne m'obéit ! J'avais dit d'émonder l'arbre, non pas de le déraciner.

Il sort.

MOKUTU

Il est constant que je ne nourrissais à son égard aucune personnelle animosité. Et c'est chose tellement avérée que les politiciens de ce pays se sont bien gardés de me mettre au courant de ce qui, contre lui, se tramait. Oh ! je sais bien que l'on m'objectera le fait que j'ai dû mettre un terme provisoire à sa carrière, en décidant ce que j'ai appelé sa neutralisation. Mais le crayon de Dieu lui-même n'est pas sans gomme. Et ce que l'opportunité politique m'a commandé de faire, j'attendais qu'elle me commandât de le défaire. Mais le forfait m'a prévenu !

Scène 7

Kinshasa (cabinet de Mokutu).

MOKUTU

soliloquant

Une cérémonie énorme ! Un lever de deuil prodigieux ! Une « matanga », aux dimensions du Congo ! Quelque chose comme un exercice national d'exorcisme ! Le peuple aime les spectacles. On lui en donnera et qu'après cela, messieurs les spectres nous fichent la paix ! Mais ça ne doit pas nous dispenser de nous occuper des vivants... Entrez, Messieurs, et installez-vous *(quatre ministres entrent).*

MOKUTU

Messieurs, il faut en finir avec notre « ami », de l'autre côté du fleuve... Faites-lui des promesses... L'homme est las. Il acceptera. Dites-lui que je m'engage à lui laisser la vie sauve et que je le convie à l'œuvre de reconstruction nationale, laquelle passe par la réconciliation nationale. Je suis même prêt à l'asseoir au gouvernement avec titre de ministre d'État... Pas mal, hein ! pour un bandit qui a mis à sac, pendant des mois, une de nos plus belles provinces.

UN MINISTRE

Je ne vois aucune nécessité à payer d'un si haut prix un ralliement que de toute manière nous aurons.

UN MINISTRE

... Et que nous aurons au rabais si, comme vous le dites, l'homme est las.

UN MINISTRE

Je dois toutefois dire, en ma qualité de ministre des Affaires étrangères, que je crains les réactions de l'opinion mondiale. Le monde est maintenant sensibilisé aux choses du Congo !

MOKUTU

L'opinion mondiale, mon cher, est une vieille gâteuse, maniaque de lettres anonymes. Il est temps de lui faire comprendre, à l'opinion mondiale, qu'il y a ici un gouvernement qui gouverne, c'est-à-dire qui se fout des piailleries et des lettres anonymes. Cette résolution, si c'est en répandant le sang qu'on la signifie, eh bien, on le versera, le sang ! Et l'opinion mondiale comprendra très bien ce langage, soyez-en sûrs... Non, voyez-vous, Messieurs, l'opinion mondiale, ce n'est pas ce qui m'inquiète. Le vrai problème est ailleurs. C'est de savoir si l'homme marchera. Mais je suis sûr qu'il marchera : tous les révolutionnaires sont des naïfs : ils ont confiance en l'homme ! *(il rit)* Quelle tare ! Confiance en l'homme ! *(il rit à gorge déployée. Rire des ministres.)*

Scène 8

Noir puis lumière.
Un écriteau indique : Juillet 1966.
Place publique à Kinshasa, le jour de la fête de l'indépendance.

UNE FEMME

Vive Mokutu ! Mokutu uhuru !

MAMA MAKOSI

Uhuru Lumumba !

LA FEMME

Attention, citoyen, c'est « Vive Mokutu » qu'il faut dire.

MAMA MAKOSI

Moi je dis ce que je pense. Uhuru Lumumba !

LE JOUEUR DE SANZA

Le sorgho pousse
L'oiseau quitte le sol
pourquoi refuser à un homme
le droit de changer ?
Mais les parties ce n'est pas à moitié
c'est entières qu'elles se jouent
si donc tu pousses
il faut que droit tu pousses
Bouteille blanche et blanche bouteille
point de bouteille obscure !

LA FEMME

De toute manière, à bas le colonialisme !
Hou, hou ! Les cercueils ! Les voilà, les voilà !

MAMA MAKOSI

Des cercueils ? Quels cercueils ?

LE JOUEUR DE SANZA

La mort se mêle à tout au Congo !

LA FEMME

Pourquoi pas ? C'est la vie ! Le premier cercueil est celui du Congo belge ; le deuxième, celui du Congo de papa ;

le troisième, celui de la division tribale. C'est formidable ! Vive Mokutu !

UNE VOIX

Chut ! Chut ! Le général va parler !

UNE VOIX

Vos gueules ! On veut entendre !

MOKUTU

en peau de léopard et haranguant la foule

La force de poursuivre ma tâche, c'est à toi, Patrice, que je la demande, martyr, athlète, héros.

Sensation. Mokutu se recueille un instant.

Congolais,
Je veux que désormais le plus beau de nos boulevards s'enorgueillisse de porter son nom ;
Que le lieu où il fut abattu devienne, de la nation, le sanctuaire ;
et qu'une statue érigée à l'entrée de ce qui fut jadis Léopoldville
signifie à l'univers
que la piété d'un peuple n'en finira jamais
de réparer ce qui fut notre crime
à nous tous !
Congolais, que le jour d'aujourd'hui soit pour le Congo le point de départ d'une saison nouvelle !

LA FOULE

Gloire à Lumumba ! Gloire immortelle à Lumumba ! A bas le néo-colonialisme ! Vive Dipenda !
Uhuru Lumumba. Uhuru !

MOKUTU

à un de ses ministres

Assez ! J'en ai marre de ces braillards ! Il faut que ce peuple sache qu'il y a des limites que je ne tolérerai pas qu'il dépasse. Faites charger ! *(au chef de sa garde qui accourt)* Allons ! Nettoyez-moi ça ! En vitesse ! Histoire de signifier à ces nigauds que notre poudre est sèche et que le spectacle est terminé. Feu !

(Rafale de mitraillette... Çà et là, des cadavres, dont celui du joueur de sanza. Pendant que la fumée se dissipe, Mokutu sort lentement avec son état-major.)

Une saison au Congo

a paru dans sa première version aux Éditions du Seuil en 1966. La présente édition comporte des modifications et des additions qui en font le texte définitif pour le théâtre.

Table

Une saison au Congo

a été créée le 4 octobre 1967 au Théâtre de l'Est-Parisien, par la compagnie Serreau-Perinetti, dans une mise en scène de Jean-Marie Serreau. Direction Guy Rétoré.

DISTRIBUTION	*par ordre alphabétique*
Le directeur de prison, un banquier	*Armand Abplanalp*
Tzumbi, la Revendication, un sénateur	*Moro Bitty*
Basilio, Cordelier, un banquier	*Daniel Dubois*
M'siri, un sénateur, un soldat	*Georges Hilarion*
M'polo	*Daniel Kamwa*
Ghana, Travélé	*Badou Kassé*
Mokutu	*Yvan Labejof*
Un mercenaire, un banquier, un pilote	*Jean-Marie Lancelot*
Kala-Lubu, Zimbwé	*Théo Legitimus*
Okito	*Jackson Nshindi*
Le joueur de sanza	*Douta Seck*
Croulard, un geôlier, un banquier	*Dominique Serreau*
Hammarskjöld	*Jean-Marie Serreau*
Lumumba	*Bachir Touré*
Massens, l'ambassadeur, un geôlier	*Rudi Van Vlaenderen*
Bijou, une femme	*Marie-Claude Benoit*
Une femme, une prostituée	*Cayotte Bissainthe*
Pauline Lumumba, une femme	*Lydia Ewandé*
La Mama Makosi	*Darling Legitimus*
Une femme, la Guerre	*Danielle Van Bercheycke*

AVEC

Eddy Louis	orgue électrique
Jean-Pierre Drouet	percussion
Pierre Cheriza	tambour

Musique : Eddy Louis et Jean-Pierre Drouet

Costumes : Claude Lemaire

Espace scénique : Paul-Émile Simon

Images : Jean-Michel Folon

DU MÊME AUTEUR

Cahier d'un retour au pays natal
poésie
revue Volontés, *1939*
Bordas, 1947
Présence africaine, 1956, 1971

Les Armes miraculeuses
poèmes
Gallimard, 1946
et « Poésie/Gallimard », 1970

Soleil cou coupé
poèmes
Éditions K, 1948

Corps perdu
poèmes
(illustrations de Pablo Picasso)
Éditions Fragrance, 1949

Discours sur le colonialisme
Réclame, 1950
Présence africaine, 1955, 1970, 2004
Textuel, 2009

Et les chiens se taisaient
théâtre
Présence africaine, 1956, 1989, 1997

Lettre à Maurice Thorez
Présence africaine, 1956

Ferrements
poèmes
Seuil, 1960
et « Points Poésie », n° P1873

Cadastre
poèmes
Seuil, 1961
et « Points Poésie », n° P1447

Toussaint Louverture :
la Révolution française et le problème colonial
essai
Présence africaine, 1962, 2004

La Tragédie du roi Christophe
théâtre
Présence africaine, 1963, 1970

Premiers jalons pour une politique de la culture
(en collaboration avec Jacques Rabemananjara
et Léopold Sédar Senghor)
essai
Présence africaine, 1968

Une tempête.
D'après *La Tempête* de Shakespeare,
adaptation pour un théâtre nègre
théâtre
Seuil, 1969
et « Points », n° P344

Œuvres complètes
poésie, théâtre, essais
Éditions Desormeaux, 1976

Moi, laminaire
poèmes
Seuil, 1982
et « Points Poésie », n° P1447

La Poésie
œuvre poétique complète
Seuil, 1994, 2006

Tropiques
Revue culturelle (1941-1945)
Jean-Michel Place, 1994

Anthologie poétique
Imprimerie nationale, 1996

Victor Schœlcher et l'abolition de l'esclavage
Suivi de
Trois discours
Le Capucin, 2004

Cent Poèmes d'Aimé Césaire
Omnibus, 2009

Nègre je suis, nègre je resterai
Entretiens avec Françoise Vergès
Albin Michel, 2011

IMPRESSION : CPI FRANCE
DÉPÔT LÉGAL : JANVIER 2011. N° 48624-17 (2025921)
IMPRIMÉ EN FRANCE

Éditions Points

Le catalogue complet de nos collections est sur Le Cercle Points, ainsi que des interviews de vos auteurs préférés, des jeux-concours, des conseils de lecture, des extraits en avant-première…

www.lecerclepoints.com

DERNIERS TITRES PARUS

P2180. Corsaires du Levant, *Arturo Pérez-Reverte*
P2181. Mort sur liste d'attente, *Veit Heinichen*
P2182. Héros et Tombes, *Ernesto Sabato*
P2183. Teresa l'après-midi, *Juan Marsé*
P2184. Titus errant. La Trilogie de Gormenghast, 3
Mervyn Peake
P2185. Julie & Julia. Sexe, blog et bœuf bourguignon
Julie Powell
P2186. Le Violon d'Hitler, *Igal Shamir*
P2187. La mère qui voulait être femme, *Maryse Wolinski*
P2188. Le Maître d'amour, *Maryse Wolinski*
P2189. Les Oiseaux de Bangkok, *Manuel Vázquez Montalbán*
P2190. Intérieur Sud, *Bertrand Visage*
P2191. L'homme qui voulait voir Mahona, *Henri Gougaud*
P2192. Écorces de sang, *Tana French*
P2193. Café Lovely, *Rattawut Lapcharoensap*
P2194. Vous ne me connaissez pas, *Joyce Carol Oates*
P2195. La Fortune de l'homme et autres nouvelles, *Anne Brochet*
P2196. L'Été le plus chaud, *Zsuzsa Bánk*
P2197. Ce que je sais… Un magnifique désastre 1988-1995.
Mémoires 2, *Charles Pasqua*
P2198. Ambre, vol. 1, *Kathleen Winsor*
P2199. Ambre, vol. 2, *Kathleen Winsor*
P2200. Mauvaises Nouvelles des étoiles, *Serge Gainsbourg*
P2201. Jour de souffrance, *Catherine Millet*
P2202. Le Marché des amants, *Christine Angot*
P2203. L'État des lieux, *Richard Ford*
P2204. Le Roi de Kahel, *Tierno Monénembo*
P2205. Fugitives, *Alice Munro*
P2206. La Beauté du monde, *Michel Le Bris*
P2207. La Traversée du Mozambique par temps calme
Patrice Pluyette

P2208. Ailleurs, *Julia Leigh*
P2209. Un diamant brut, *Yvette Szczupak-Thomas*
P2210. Trans, *Pavel Hak*
P2211. Peut-être une histoire d'amour, *Martin Page*
P2212. Peuls, *Tierno Monénembo*
P2214. Le Cas Sonderberg, *Elie Wiesel*
P2215. Fureur assassine, *Jonathan Kellerman*
P2216. Misterioso, *Arne Dahl*
P2217. Shotgun Alley, *Andrew Klavan*
P2218. Déjanté, *Hugo Hamilton*
P2219. La Récup, *Jean-Bernard Pouy*
P2220. Une année dans la vie de Tolstoï, *Jay Parini*
P2221. Les Accommodements raisonnables, *Jean-Paul Dubois*
P2222. Les Confessions de Max Tivoli, *Andrew Sean Greer*
P2223. Le pays qui vient de loin, *André Bucher*
P2224. Le Supplice du santal, *Mo Yan*
P2225. La Véranda, *Robert Alexis*
P2226. Je ne sais rien… mais je dirai (presque) tout
Yves Bertrand
P2227. Un homme très recherché, *John le Carré*
P2228. Le Correspondant étranger, *Alan Furst*
P2229. Brandebourg, *Henry Porter*
P2230. J'ai vécu 1000 ans, *Mariolina Venezia*
P2231. La Conquistadora, *Eduardo Manet*
P2232. La Sagesse des fous, *Einar Karason*
P2233. Un chasseur de lions, *Olivier Rolin*
P2234. Poésie des troubadours. Anthologie, *Henri Gougaud (dir.)*
P2235. Chacun vient avec son silence. Anthologie
Jean Cayrol
P2236. Badenheim 1939, *Aharon Appelfeld*
P2237. Le Goût sucré des pommes sauvages, *Wallace Stegner*
P2238. Un mot pour un autre, *Rémi Bertrand*
P2239. Le Bêtisier de la langue française, *Claude Gagnière*
P2240. Esclavage et Colonies, *G. J. Danton et L. P. Dufay,*
L. Sédar Senghor, C. Taubira
P2241. Race et Nation, *M. L. King, E. Renan*
P2242. Face à la crise, *B. Obama, F. D. Roosevelt*
P2243. Face à la guerre, *W. Churchill, général de Gaulle*
P2244. La Non-Violence, *Mahatma Gandhi, Dalaï Lama*
P2245. La Peine de mort, *R. Badinter, M. Barrès*
P2246. Avortement et Contraception, *S. Veil, L. Neuwirth*
P2247. Les Casseurs et l'Insécurité
F. Mitterrand et M. Rocard, N. Sarkozy
P2248. La Mère de ma mère, *Vanessa Schneider*
P2249. De la vie dans son art, de l'art dans sa vie
Anny Duperey et Nina Vidrovitch

P2250. Desproges en petits morceaux. Les meilleures citations
Pierre Desproges
P2251. Dexter I, II, III, *Jeff Lindsay*
P2252. God's pocket, *Pete Dexter*
P2253. En effeuillant Baudelaire, *Ken Bruen*
P2254. Meurtres en bleu marine, *C.J. Box*
P2255. Le Dresseur d'insectes, *Arni Thorarinsson*
P2256. La Saison des massacres, *Giancarlo de Cataldo*
P2257. Évitez le divan
Petit guide à l'usage de ceux qui tiennent à leurs symptômes
Philippe Grimbert
P2258. La Chambre de Mariana, *Aharon Appelfeld*
P2259. La Montagne en sucre, *Wallace Stegner*
P2260. Un jour de colère, *Arturo Pérez-Reverte*
P2261. Le Roi transparent, *Rosa Montero*
P2262. Le Syndrome d'Ulysse, *Santiago Gamboa*
P2263. Catholique anonyme, *Thierry Bizot*
P2264. Le Jour et l'Heure, *Guy Bedos*
P2265. Le Parlement des fées
I. L'Orée des bois, *John Crowley*
P2266. Le Parlement des fées
II. L'Art de la mémoire, *John Crowley*
P2267. Best-of Sarko, *Plantu*
P2268. 99 Mots et Expressions à foutre à la poubelle
Jean-Loup Chiflet
P2269. Le Baleinié. Dictionnaire des tracas
Christine Murillo, Jean-Claude Leguay,
Grégoire Œstermann
P2270. Couverture dangereuse, *Philippe Le Roy*
P2271. Quatre Jours avant Noël, *Donald Harstad*
P2272. Petite Bombe noire, *Christopher Brookmyre*
P2273. Journal d'une année noire, *J.M. Coetzee*
P2274. Faites vous-même votre malheur, *Paul Watzlawick*
P2275. Paysans, *Raymond Depardon*
P2276. Homicide special, *Miles Corwin*
P2277. Mort d'un Chinois à La Havane, *Leonardo Padura*
P2278. Le Radeau de pierre, *José Saramago*
P2279. Contre-jour, *Thomas Pynchon*
P2280. Trick Baby, *Iceberg Slim*
P2281. Perdre est une question de méthode, *Santiago Gamboa*
P2282. Le Rocher de Montmartre, *Joanne Harris*
P2283. L'Enfant du Jeudi noir, *Alejandro Jodorowsky*
P2284. Lui, *Patrick Besson*
P2285. Tarabas, *Joseph Roth*
P2286. Le Cycliste de San Cristobal, *Antonio Skármeta*
P2287. Récit des temps perdus, *Aris Fakinos*

P2288. L'Art délicat du deuil
Les nouvelles enquêtes du juge Ti (vol. 7)
Frédéric Lenormand
P2289. Ceux qu'on aime, *Steve Mosby*
P2290. Lemmer, l'invisible, *Deon Meyer*
P2291. Requiem pour une cité de verre, *Donna Leon*
P2292. La Fille du Samouraï, *Dominique Sylvain*
P2293. Le Bal des débris, *Thierry Jonquet*
P2294. Beltenebros, *Antonio Muñoz Molina*
P2295. Le Bison de la nuit, *Guillermo Arriaga*
P2296. Le Livre noir des serial killers, *Stéphane Bourgoin*
P2297. Une tombe accueillante, *Michael Koryta*
P2298. Roldán, ni mort ni vif, *Manuel Vásquez Montalbán*
P2299. Le Petit Frère, *Manuel Vásquez Montalbán*
P2300. Poussière d'os, *Simon Beckett*
P2301. Le Cerveau de Kennedy, *Henning Mankell*
P2302. Jusque-là… tout allait bien !, *Stéphane Guillon*
P2303. Une parfaite journée parfaite, *Martin Page*
P2304. Corps volatils, *Jakuta Alikavazovic*
P2305. De l'art de prendre la balle au bond
Précis de mécanique gestuelle et spirituelle
Denis Grozdanovitch
P2306. Regarde la vague, *François Emmanuel*
P2307. Des vents contraires, *Olivier Adam*
P2308. Le Septième Voile, *Juan Manuel de Prada*
P2309. Mots d'amour secrets.
100 lettres à décoder pour amants polissons
Jacques Perry-Salkow, Frédéric Schmitter
P2310. Carnets d'un vieil amoureux, *Marcel Mathiot*
P2311. L'Enfer de Matignon, *Raphaëlle Bacqué*
P2312. Un État dans l'État. Le contre-pouvoir maçonnique
Sophie Coignard
P2313. Les Femelles, *Joyce Carol Oates*
P2314. Ce que je suis en réalité demeure inconnu, *Virginia Woolf*
P2315. Luz ou le temps sauvage, *Elsa Osorio*
P2316. Le Voyage des grands hommes, *François Vallejo*
P2317. Black Bazar, *Alain Mabanckou*
P2318. Les Crapauds-brousse, *Tierno Monénembo*
P2319. L'Anté-peuple, *Sony Labou Tansi*
P2320. Anthologie de poésie africaine,
Six poètes d'Afrique francophone, *Alain Mabanckou (dir.)*
P2321. La Malédiction du lamantin, *Moussa Konaté*
P2322. Green Zone, *Rajiv Chandrasekaran*
P2323. L'Histoire d'un mariage, *Andrew Sean Greer*
P2324. Gentlemen, *Klas Östergren*
P2325. La Belle aux oranges, *Jostein Gaarder*

P2326. Bienvenue à Egypt Farm, *Rachel Cusk*
P2327. Plage de Manacorra, 16 h 30, *Philippe Jaenada*
P2328. La Vie d'un homme inconnu, *Andreï Makine*
P2329. L'Invité, *Hwang Sok-yong*
P2330. Petit Abécédaire de culture générale
40 mots-clés passés au microscope, *Albert Jacquard*
P2331. La Grande Histoire des codes secrets, *Laurent Joffrin*
P2332. La Fin de la folie, *Jorge Volpi*
P2333. Le Transfuge, *Robert Littell*
P2334. J'ai entendu pleurer la forêt, *Françoise Perriot*
P2335. Nos grand-mères savaient
Petit dictionnaire des plantes qui guérissent, *Jean Palaiseul*
P2336. Journée d'un opritchnik, *Vladimir Sorokine*
P2337. Cette France qu'on oublie d'aimer, *Andreï Makine*
P2338. La Servante insoumise, *Jane Harris*
P2339. Le Vrai Canard, *Karl Laske, Laurent Valdiguié*
P2340. Vie de poète, *Robert Walser*
P2341. Sister Carrie, *Theodore Dreiser*
P2342. Le Fil du rasoir, *William Somerset Maugham*
P2343. Anthologie. Du rouge aux lèvres, *Haïjins japonaises*
P2344. L'aurore en fuite. Poèmes choisis
Marceline Desbordes-Valmore
P2345. « Je souffre trop, je t'aime trop », Passions d'écrivains
sous la direction de Olivier et Patrick Poivre d'Arvor
P2346. « Faut-il brûler ce livre ? », Écrivains en procès
sous la direction de Olivier et Patrick Poivre d'Arvor
P2347. À ciel ouvert, *Nelly Arcan*
P2348. L'Hirondelle avant l'orage, *Robert Littell*
P2349. Fuck America, *Edgar Hilsenrath*
P2350. Départs anticipés, *Christopher Buckley*
P2351. Zelda, *Jacques Tournier*
P2352. Anesthésie locale, *Günter Grass*
P2353. Les filles sont au café, *Geneviève Brisac*
P2354. Comédies en tout genre, *Jonathan Kellerman*
P2355. L'Athlète, *Knut Faldbakken*
P2356. Le Diable de Blind River, *Steve Hamilton*
P2357. Le doute m'habite.
Textes choisis et présentés par Christian Gonon
Pierre Desproges
P2358. La Lampe d'Aladino et autres histoires pour vaincre l'oubli
Luis Sepúlveda
P2359. Julius Winsome, *Gerard Donovan*
P2360. Speed Queen, *Stewart O'Nan*
P2361. Dope, *Sara Gran*
P2362. De ma prison, *Taslima Nasreen*
P2363. Les Ghettos du Gotha. Au cœur de la grande bourgeoisie
Michel Pinçon et Monique Pinçon-Charlot

P2364. Je dépasse mes peurs et mes angoisses
Christophe André et Muzo
P2365. Afrique(s), *Raymond Depardon*
P2366. La Couleur du bonheur, *Wei-Wei*
P2367. La Solitude des nombres premiers, *Paolo Giordano*
P2368. Des histoires pour rien, *Lorrie Moore*
P2369. Déroutes, *Lorrie Moore*
P2370. Le Sang des Dalton, *Ron Hansen*
P2371. La Décimation, *Rick Bass*
P2372. La Rivière des Indiens, *Jeffrey Lent*
P2373. L'Agent indien, *Dan O'Brien*
P2374. Pensez, lisez. 40 livres pour rester intelligent
P2375. Des héros ordinaires, *Eva Joly*
P2376. Le Grand Voyage de la vie.
Un père raconte à son fils
Tiziano Terzani
P2377. Naufrages, *Francisco Coloane*
P2378. Le Remède et le Poison, *Dirk Wittenbork*
P2379. Made in China, *J. M. Erre*
P2380. Joséphine, *Jean Rolin*
P2381. Un mort à l'Hôtel Koryo, *James Church*
P2382. Ciels de foudre, *C.J. Box*
P2383. Robin des bois, prince des voleurs, *Alexandre Dumas*
P2384. Comment parler le belge, *Philippe Genion*
P2385. Le Sottisier de l'école, *Philippe Mignaval*
P2386. « À toi, ma mère », Correspondances intimes
sous la direction de Olivier et Patrick Poivre d'Arvor
P2387. « Entre la mer et le ciel », Rêves et récits de navigateurs
sous la direction de Olivier et Patrick Poivre d'Arvor
P2388. L'Île du lézard vert, *Eduardo Manet*
P2389. « La paix a ses chances », *suivi de* « Nous proclamons la création d'un État juif », *suivi de* « La Palestine est le pays natal du peuple palestinien »
Itzhak Rabin, David Ben Gourion, Yasser Arafat
P2390. « Une révolution des consciences », *suivi de* « Appeler le peuple à la lutte ouverte »
Aung San Suu Kyi, Léon Trotsky
P2391. « Le temps est venu », *suivi de* « Éveillez-vous à la liberté », *Nelson Mandela, Jawaharlal Nehru*
P2392. « Entre ici, Jean Moulin », *suivi de* « Vous ne serez pas morts en vain », *André Malraux, Thomas Mann*
P2393. Bon pour le moral ! 40 livres pour se faire du bien
P2394. Les 40 livres de chevet des stars, The Guide
P2395. 40 livres pour se faire peur, Guide du polar
P2396. Tout est sous contrôle, *Hugh Laurie*
P2397. Le Verdict du plomb, *Michael Connelly*

P2398. Heureux au jeu, *Lawrence Block*
P2399. Corbeau à Hollywood, *Joseph Wambaugh*
P2400. Pêche à la carpe sous Valium, *Graham Parker*
P2401. Je suis très à cheval sur les principes, *David Sedaris*
P2402. Si loin de vous, *Nina Revoyr*
P2403. Les Eaux mortes du Mékong, *Kim Lefèvre*
P2404. Cher amour, *Bernard Giraudeau*
P2405. Les Aventures miraculeuses de Pomponius Flatus
Eduardo Mendoza
P2406. Un mensonge sur mon père, *John Burnside*
P2407. Hiver arctique, *Arnaldur Indridason*
P2408. Sœurs de sang, *Dominique Sylvain*
P2409. La Route de tous les dangers, *Kriss Nelscott*
P2410. Quand je serai roi, *Enrique Serna*
P2411. Le Livre des secrets. La vie cachée d'Esperanza Gorst
Michael Cox
P2412. Sans douceur excessive, *Lee Child*
P2413. Notre guerre. Journal de Résistance 1940-1945
Agnès Humbert
P2414. Le jour où mon père s'est tu, *Virginie Linhart*
P2415. Le Meilleur de « L'Os à moelle », *Pierre Dac*
P2416. Les Pipoles à la porte, *Didier Porte*
P2417. Trois tasses de thé. La mission de paix d'un Américain au Pakistan et en Afghanistan
Greg Mortenson et David Oliver Relin
P2418. Un mec sympa, *Laurent Chalumeau*
P2419. Au diable vauvert, *Maryse Wolinski*
P2420. Le Cinquième Évangile, *Michael Faber*
P2421. Chanson sans paroles, *Ann Packer*
P2422. Grand-mère déballe tout, *Irene Dische*
P2423. La Couturière, *Frances de Pontes Peebles*
P2424. Le Scandale de la saison, *Sophie Gee*
P2425. Ursúa, *William Ospina*
P2426. Blonde de nuit, *Thomas Perry*
P2427. La Petite Brocante des mots. Bizarreries, curiosités et autres enchantements du français, *Thierry Leguay*
P2428. Villages, *John Updike*
P2429. Le Directeur de nuit, *John le Carré*
P2430. Petit Bréviaire du braqueur, *Christopher Brookmyre*
P2431. Un jour en mai, *George Pelecanos*
P2432. Les Boucanières, *Edith Wharton*
P2433. Choisir la psychanalyse, *Jean-Pierre Winter*
P2434. À l'ombre de la mort, *Veit Heinichen*
P2435. Ce que savent les morts, *Laura Lippman*
P2436. István arrive par le train du soir, *Anne-Marie Garat*
P2437. Jardin de poèmes enfantins, *Robert Louis Stevenson*

P2438. Netherland, *Joseph O'Neill*
P2439. Le Remplaçant, *Agnès Desarthe*
P2440. Démon, *Thierry Hesse*
P2441. Du côté de Castle Rock, *Alice Munro*
P2442. Rencontres fortuites, *Mavis Gallant*
P2443. Le Chasseur, *Julia Leigh*
P2444. Demi-Sommeil, *Eric Reinhardt*
P2445. Petit déjeuner avec Mick Jagger, *Nathalie Kuperman*
P2446. Pirouettes dans les ténèbres, *François Vallejo*
P2447. Maurice à la poule, *Matthias Zschokke*
P2448. La Montée des eaux, *Thomas B. Reverdy*
P2449. La Vaine Attente, *Nadeem Aslam*
P2450. American Express, *James Salter*
P2451. Le lendemain, elle était souriante, *Simone Signoret*
P2452. Le Roman de la Bretagne, *Gilles Martin-Chauffier*
P2453. Baptiste, *Vincent Borel*
P2454. Crimes d'amour et de haine
Faye et Jonathan Kellerman
P2455. Publicité meurtrière, *Petros Markaris*
P2456. Le Club du crime parfait, *Andrés Trapiello*
P2457. Mort d'un maître de go.
Les nouvelles enquêtes du Juge Ti (vol. 8)
Frédéric Lenormand
P2458. Le Voyage de l'éléphant, *José Saramago*
P2459. L'Arc-en-ciel de la gravité, *Thomas Pynchon*
P2460. La Dure Loi du Karma, *Mo Yan*
P2461. Comme deux gouttes d'eau, *Tana French*
P2462. Triste Flic, *Hugo Hamilton*
P2463. Last exit to Brest, *Claude Bathany*
P2464. Mais le fleuve tuera l'homme blanc, *Patrick Besson*
P2465. Lettre à un ami perdu, *Patrick Besson*
P2466. Les Insomniaques, *Camille de Villeneuve*
P2467. Les Veilleurs, *Vincent Message*
P2468. Bella Ciao, *Eric Holder*
P2469. Monsieur Joos, *Frédéric Dard*
P2470. La Peuchère, *Frédéric Dard*
P2471. La Saga des francs-maçons
Marie-France Etchegoin, Frédéric Lenoir
P2472. Biographie de Alfred de Musset, *Paul de Musset*
P2473. Si j'étais femme. Poèmes choisis
Alfred de Musset
P2474. Le Roman de l'âme slave, *Vladimir Fédorovski*
P2475. La Guerre et la Paix, *Léon Tolstoï*
P2476. Propos sur l'imparfait, *Jacques Drillon*
P2477. Le Sottisier du collège, *Philippe Mignaval*
P2478. Brèves de philo, *Laurence Devillairs*

P2479. La Convocation, *Herta Müller*
P2480. Contes carnivores, *Bernard Quiriny*
P2481. « Je démissionne de la présidence », *suivi de* « Un grand État cesse d'exister » *et de* « Un jour je vous le promets »
Richard Nixon, Mikhaïl Gorbatchev, Charles de Gaulle
P2482. « Africains, levons-nous ! », *suivi de* « Nous préférons la liberté » *et de* « Le devoir de civiliser »
Patrice Lumumba, Sékou Touré, Jules Ferry
P2483. « ¡ No pasarán ! », *suivi de* « Le peuple doit se défendre » *et de* « Ce sang qui coule, c'est le vôtre »
Dolores Ibárruri, Salvador Allende, Victor Hugo
P2484. « Citoyennes, armons-nous ! », *suivi de* « Veuillez être leurs égales » *et de* « Il est temps »
Théroigne de Méricourt, George Sand, Élisabeth Guigou
P2485. Pieds nus sur les limaces, *Fabienne Berthaud*
P2486. Le renard était déjà le chasseur, *Herta Müller*
P2487. La Fille du fossoyeur, *Joyce Carol Oates*
P2488. Vallée de la mort, *Joyce Carol Oates*
P2489. Moi tout craché, *Jay McInerney*
P2490. Toute ma vie, *Jay McInerney*
P2491. Virgin Suicides, *Jeffrey Eugenides*
P2492. Fakirs, *Antonin Varenne*
P2493. Madame la présidente, *Anne Holt*
P2494. Zone de tir libre, *C.J. Box*
P2495. Increvable, *Charlie Huston*
P2496. On m'a demandé de vous calmer, *Stéphane Guillon*
P2497. Je guéris mes complexes et mes déprimes
Christophe André & Muzo
P2498. Lionel raconte Jospin, *Lionel Jospin*
P2499. La Méprise – L'affaire d'Outreau, *Florence Aubenas*
P2500. Kyoto Limited Express, *Olivier Adam*
avec des photographies de Arnaud Auzouy
P2501. « À la vie, à la mort », Amitiés célèbres
dirigé par Patrick et Olivier Poivre d'Arvor
P2502. « Mon cher éditeur », Écrivains et éditeurs
dirigé par Patrick et Olivier Poivre d'Arvor
P2503. 99 clichés à foutre à la poubelle, *Jean-Loup Chiflet*
P2504. Des Papous dans la tête – Les Décraqués – L'anthologie
P2505. L'Étoile du matin, *André Schwarz-Bart*
P2506. Au pays des vermeilles, *Noëlle Châtelet*
P2507. Villa des hommes, *Denis Guedj*
P2508. À voix basse, *Charles Aznavour*
P2509. Un aller pour Alger, *Raymond Depardon*
avec un texte de Louis Gardel
P2510. Beyrouth centre-ville, *Raymond Depardon*
avec un texte de Claudine Nougaret

P2511. Et la fureur ne s'est pas encore tue, *Aharon Appelfeld*
P2512. Les Nouvelles Brèves de comptoir, tome 1
Jean-Marie Gourio
P2513. Six heures plus tard, *Donald Harstad*
P2514. Mama Black Widow, *Iceberg Slim*
P2515. Un amour fraternel, *Pete Dexter*
P2516. À couper au couteau, *Kriss Nelscott*
P2517. Glu, *Irvine Welsh*
P2518. No Smoking, *Will Self*
P2519. Les Vies privées de Pippa Lee, *Rebecca Miller*
P2520. Nord et Sud, *Elizabeth Gaskell*
P2521. Une mélancolie arabe, *Abdellah Taïa*
P2522. 200 dessins sur la France et les Français, *The New Yorker*
P2523. Les Visages, *Jesse Kellerman*
P2524. Dexter dans de beaux draps, *Jeff Lindsay*
P2525. Le Cantique des innocents, *Donna Leon*
P2526. Manta Corridor, *Dominique Sylvain*
P2527. Les Sœurs, *Robert Littell*
P2528. Profileuse – Une femme sur la trace des serial killers,
Stéphane Bourgoin
P2529. Venise sur les traces de Brunetti – 12 promenades au fil des romans de Donna Leon, *Toni Sepeda*
P2530. Les Brumes du passé, *Leonardo Padura*
P2531. Les Mers du Sud, *Manuel Vázquez Montalbán*
P2532. Funestes carambolages, *Håkan Nesser*
P2533. La Faute à pas de chance, *Lee Child*
P2534. Padana City, *Massimo Carlotto, Marco Videtta*
P2535. Mexico, quartier Sud, *Guillermo Arriaga*
P2536. Petits Crimes italiens
Ammaniti, Camilleri, Carlotto, Dazieri, De Cataldo, De Silva, Faletti, Fois, Lucarelli, Manzini
P2537. La guerre des banlieues n'aura pas lieu, *Abd Al Malik*
P2538. Paris insolite, *Jean-Paul Clébert*
P2539. Les Ames sœurs, *Valérie Zenatti*
P2540. La Disparition de Paris et sa renaissance en Afrique
Martin Page
P2541. Crimes horticoles, *Mélanie Vincelette*
P2542. Livre de chroniques IV, *António Lobo Antunes*
P2543. Mon témoignage devant le monde, *Jan Karski*
P2544. Laitier de nuit, *Andreï Kourkov*
P2545. L'Évasion, *Adam Thirlwell*
P2546. Forteresse de solitude, *Jonathan Lethem*
P2547. Totenauberg, *Elfriede Jelinek*
P2548. Méfions-nous de la nature sauvage, *Elfriede Jelinek*
P2549. 1974, *Patrick Besson*
P2550. Conte du chat maître zen
(illustrations de Christian Roux), Henri Brunel

P2551. Les Plus Belles Chansons, *Charles Trenet*
P2552. Un monde d'amour, *Elizabeth Bowen*
P2553. Sylvia, *Leonard Michaels*
P2554. Conteurs, menteurs, *Leonard Michaels*
P2555. Beaufort, *Ron Leshem*
P2556. Un mort à Starvation Lake, *Bryan Gruley*
P2557. Cotton Point, *Pete Dexter*
P2558. Viens plus près, *Sara Gran*
P2559. Les Chaussures italiennes, *Henning Mankell*
P2560. Le Château des Pyrénées, *Jostein Gaarder*
P2561. Gangsters, *Klas Östergren*
P2562. Les Enfants de la dernière chance, *Peter Høeg*
P2563. Faims d'enfance, *Axel Gauvin*
P2564. Mémoires d'un antisémite, *Gregor von Rezzori*
P2565. L'Astragale, *Albertine Sarrazin*
P2566. L'Art de péter, *Pierre-Thomas-Nicolas Hurtaut*
P2567. Les Miscellanées du rock
Jean-Éric Perrin, Jérôme Rey, Gilles Verlant
P2568. Les Amants papillons, *Alison Wong*
P2569. Dix mille guitares, *Catherine Clément*
P2570. Les Variations Bradshaw, *Rachel Cusk*
P2571. Bakou, derniers jours, *Olivier Rolin*
P2572. Bouche bée, tout ouïe… ou comment tomber amoureux des langues, *Alex Taylor*
P2573. La grammaire, c'est pas de la tarte !
Olivier Houdart, Sylvie Prioul
P2574. La Bande à Gabin, *Philippe Durant*
P2575. « Le vote ou le fusil », *suivi de* « Nous formons un seul et même pays », *Malcolm X, John Fitzgerald Kennedy*
P2576. « Vive la Commune ! », *suivi de* « La Commune est proclamée » et de « La guerre civile en France »
Louise Michel, Jules Vallès, Karl Marx
P2577. « Je vous ai compris ! », *suivi de* « L'Algérie n'est pas la France » et de « Le droit à l'insoumission »
Charles de Gaulle, Gouvernement provisoire algérien, Manifeste des 121
P2578. « Une Europe pour la paix », *suivi de* « Nous disons NON » et de « Une communauté passionnée »
Robert Schuman, Jacques Chirac, Stefan Zweig
P2579. 13 heures, *Deon Meyer*
P2580. Angle obscur, *Reed Farrel Coleman*
P2581. Le Tailleur gris, *Andrea Camilleri*
P2582. La Vie sexuelle d'un Américain sans reproche
Jed Mercurio
P2583. Une histoire familiale de la peur, *Agata Tuszyńska*
P2584. Le Blues des Grands Lacs, *Joseph Coulson*

P2585. Le Tueur intime, *Claire Favan*
P2586. Comme personne, *Hugo Hamilton*
P2587. Fille noire, fille blanche, *Joyce Carol Oates*
P2588. Les Nouvelles Brèves de comptoir, tome 2
Jean-Marie Gourio
P2589. Dix petits démons chinois, *Frédéric Lenormand*
P2590. L'ombre de ce que nous avons été, *Luis Sepúlveda*
P2591. Sévère, *Régis Jauffret*
P2592. La Joyeuse Complainte de l'idiot, *Michel Layaz*
P2593. Origine, *Diana Abu-Jaber*
P2594. La Face B, *Akhenaton*
P2595. Paquebot, *Hervé Hamon*
P2596. L'Agfa Box, *Günter Grass*
P2597. La Ville insoumise, *Jon Fasman*
P2598. Je résiste aux personnalités toxiques
(et autres casse-pieds), *Christophe André & Muzo*
P2599. Le soleil me trace la route. Conversations avec Tiffy
Morgue et Jean-Yves Gaillac, *Sandrine Bonnaire*
P2600. Mort de Bunny Munro, *Nick Cave*
P2601. La Reine et moi, *Sue Townsend*
P2602. Orages ordinaires, *William Boyd*
P2603. Guide farfelu mais nécessaire de conversation anglaise
Jean-Loup Chiflet
P2604. Nuit et Jour, *Virginia Woolf*
P2605. Trois hommes dans un bateau (sans oublier le chien !)
Jerome K. Jerome
P2606. Ode au vent d'Ouest. Adonaïs et autres poèmes
Percy Bysshe Shelley
P2607. Les Courants fourbes du lac Tai, *Qiu Xiaolong*
P2608. Le Poisson mouillé, *Volker Kutscher*
P2609. Faux et usage de faux, *Elvin Post*
P2610. L'Angoisse de la première phrase, *Bernard Quiriny*
P2611. Absolument dé-bor-dée !, *Zoe Shepard*
P2612. Meurtre et Obsession, *Jonathan Kellerman*
P2613. Sahara, *Luis Leante*
P2614. La Passerelle, *Lorrie Moore*
P2615. Le Territoire des barbares, *Rosa Montero*
P2616. Petits Meurtres entre camarades. Enquête secrète au cœur
du PS, *David Revault d'Allonnes*
P2617. Une année avec mon père, *Geneviève Brisac*
P2618. La Traversée des fleuves. Autobiographie
Georges-Arthur Goldschmidt
P2619. L'Histoire très ordinaire de Rachel Dupree
Ann Weisgarber
P2620. À la queue leu leu. Origines d'une ribambelle
d'expressions populaires, *Gilles Guilleron*

P2621. Poèmes anglais, *Fernando Pessoa*
P2622. Danse avec le siècle, *Stéphane Hessel*
P2623. L'Épouvantail, *Michael Connelly*
P2624. London Boulevard, *Ken Bruen*
P2625. Pourquoi moi ?, *Omar Raddad*
P2626. Mes étoiles noires, *Lilian Thuram*
P2627. La Ronde des innocents, *Valentin Musso*
P2628. Ô ma mémoire. La poésie, ma nécessité, *Stéphane Hessel*
P2629. Une vie à brûler, *James Salter*
P2630. Léger, humain, pardonnable, *Martin Provost*
P2631. Lune captive dans un œil mort, *Pascal Garnier*
P2632. Hypothermie, *Arnaldur Indridason*
P2633. La Nuit de Tomahawk, *Michael Koryta*
P2634. Les Raisons du doute, *Gianrico Carofiglio*
P2635. Les Hommes-couleurs, *Cloé Korman*
P2636. Le Cuisinier, *Martin Suter*
P2637. N'exagérons rien !, *David Sedaris*
P2638. Château-l'Arnaque, *Peter Mayle*
P2639. Le Roman de Bergen. 1900 L'aube, tome I
Gunnar Staalesen
P2640. Aurora, Kentucky, *Carolyn D. Wall*
P2641. Blanc sur noir, *Kriss Nelscott*
P2642. Via Vaticana, *Igal Shamir*
P2643. Le Ruban rouge, *Carmen Posadas*
P2644. My First Sony, *Benny Barbash*
P2645. « On m'a demandé de vous virer », *Stéphane Guillon*
P2646. Les Rillettes de Proust. Ou 50 conseils pour devenir écrivain, *Thierry Maugenest*
P2647. 200 expressions inventées en famille, *Cookie Allez*
P2648. Au plaisir des mots, *Claude Duneton*
P2649. La Lune et moi. Les meilleures chroniques,
Haïkus d'aujourd'hui
P2650. Le marchand de sable va passer, *Andrew Pyper*
P2651. Lutte et aime, là où tu es !, *Guy Gilbert*
P2652. Le Sari rose, *Javier Moro*
P2653. Le Roman de Bergen. 1900 L'aube, tome II
Gunnar Staalesen
P2654. Jaune de Naples, *Jean-Paul Desprat*
P2655. Mère Russie, *Robert Littell*
P2656. Qui a tué Arlozoroff ?, *Tobie Nathan*
P2657. Les Enfants de Las Vegas, *Charles Bock*
P2658. Le Prédateur, *C.J. Box*
P2659. Keller en cavale, *Lawrence Block*
P2660. Les Murmures des morts, *Simon Beckett*
P2661. Les Veuves d'Eastwick, *John Updike*
P2662. L'Incertain, *Virginie Ollagnier*

P2663. La Banque. Comment Goldman Sachs dirige le monde
Marc Roche
P2664. La Plus Belle Histoire de la liberté, *collectif*
P2665. Le Cœur régulier, *Olivier Adam*
P2666. Le Jour du Roi, *Abdellah Taïa*
P2667. L'Été de la vie, *J.M. Coetzee*
P2668. Tâche de ne pas devenir folle, *Vanessa Schneider*
P2669. Le Cerveau de mon père, *Jonathan Franzen*
P2670. Le Chantier, *Mo Yan*
P2671. La Fille de son père, *Anne Berest*
P2672. Au pays des hommes, *Hisham Matar*
P2673. Le Livre de Dave, *Will Self*
P2674. Le Testament d'Olympe, *Chantal Thomas*
P2675. Antoine et Isabelle, *Vincent Borel*
P2676. Le Crépuscule des superhéros, *Deborah Eisenberg*
P2677. Le Mercredi des Cendres, *Percy Kemp*
P2678. Journal. 1955-1962, *Mouloud Feraoun*
P2679. Le Quai de Ouistreham, *Florence Aubenas*
P2680. Hiver, *Mons Kallentoft*
P2681. Habillé pour tuer, *Jonathan Kellerman*
P2682. Un festin de hyènes, *Michael Stanley*
P2683. Vice caché, *Thomas Pynchon*
P2684. Traverses, *Jean Rolin*
P2685. Le Baiser de la pieuvre, *Patrick Grainville*
P2686. Dans la nuit brune, *Agnès Desarthe*
P2687. Une soirée au Caire, *Robert Solé*
P2688. Les Oreilles du loup, *Antonio Ungar*
P2689. L'Homme de compagnie, *Jonathan Ames*
P2690. Le Dico de la contrepèterie.
Des milliers de contrepèteries pour s'entraîner et s'amuser
Joël Martin
P2691. L'Art du mot juste.
250 propositions pour enrichir son vocabulaire
Valérie Mandera
P2692. Guide de survie d'un juge en Chine
Frédéric Lenormand
P2693. Doublez votre mémoire. Journal graphique
Philippe Katerine
P2694. Comme un oiseau dans la tête.
Poèmes choisis, *René Guy Cadou*
P2696. La Dernière Frontière, *Philip Le Roy*
P2697. Country blues, *Claude Bathany*
P2698. Le Vrai Monde, *Natsuo Kirino*
P2699. L'Art et la manière d'aborder son chef de service pour lui
demander une augmentation, *Georges Perec*
P2700. Dessins refusés par le New Yorker, *Matthew Diffee*